U0121029

小丑之花

[日] 太宰治 著

王述坤 译

どうけのはな

译林出版社

图书在版编目（CIP）数据

小丑之花 /（日）太宰治著；王述坤译．—南京：译林出版社，2023.3

（太宰治精选集）

ISBN 978-7-5447-9443-5

Ⅰ.①小…　Ⅱ.①太…　②王…　Ⅲ.①短篇小说－小说集－日本－现代　Ⅳ.①I313.45

中国版本图书馆 CIP 数据核字（2022）第 178836 号

小丑之花　［日本］太宰治／著　王述坤／译

责任编辑　王　珏
特约编辑　赵琳倩
装帧设计　所以设计馆
校　　对　戴小娥　梅　娟
责任印制　董　虎

出版发行　译林出版社
地　　址　南京市湖南路 1 号 A 楼
邮　　箱　yilin@yilin.com
网　　址　www.yilin.com
市场热线　025-86633278
排　　版　南京展望文化发展有限公司
印　　刷　南京新世纪联盟印务有限公司
开　　本　787 毫米 ×1092 毫米　1/32
印　　张　7.875
插　　页　4
版　　次　2023 年 3 月第 1 版
印　　次　2023 年 3 月第 1 次印刷
书　　号　ISBN 978-7-5447-9443-5
定　　价　49.00 元

目录

卷一

对话自我

追忆

第一章

黄昏时分，我和姑母并排站在门口。姑母后背似乎背着个人，穿着背孩子专用的棉袄。我没忘记当时那昏暗街道上的寂静。姑母告诉我“天子陛下龙体隐居了”，还补充了一句：“那是活神仙。”我感觉我也像是饶有兴致地自言自语了一句“活神仙”。接着我似乎说了什么不敬的话，姑母说我了，她说不该说那种话，要说“龙体隐居了！”“隐居到何处去了呢？”我忆起我明知隐居到何处去了却故意那样发问，曾引得姑母忍俊不禁。

我是明治四十二年夏出生，所以这位大帝驾崩时我虚龄四岁多。大概也是同一时期，我曾和姑母两人到离村八公里[1]之遥的某村走亲戚，我没忘记在那里见到的瀑布。瀑布位于离村很近的山里。宽阔的瀑布白花花一片，从长满绿油油青苔的断

1　此处为“日里”，1日里约等于4公里。——本文脚注如无特别说明均为译注

崖上倾泻下来，我骑在一位陌生男子的肩膀上观赏。旁边有个什么神社，那男子给我看了那里各种各样的木版画片[1]，我渐渐感到无聊起来，嘴里喊着“咩咩、咩咩”哭起来了。我管姑母是叫“咩咩”的。姑母正和亲戚们在远处洼地闹闹哄哄地铺毛毡，听见我的哭声便急忙站起身来。当时似乎被毛毡绊住了脚，身体重重地打了个趔趄，好像鞠躬似的。其他人见此情景便起哄嘲笑说：“喝高啦，喝高啦！”我从远处俯视到这情景，气得不得了，更加大声地哭叫起来。还有一天夜里，我梦见姑母抛下我离开了家。姑母的胸脯把便门堵得满满的，她那通红丰满的胸脯上，汗珠淋漓。姑母狠狠地嘟囔着：“你这小崽子太烦人啦！”我把脸贴近姑母的那只乳房，一面不断地哀求“别丢下我呀！”一面流泪不止。姑母将我摇醒时，我在被窝里将脸紧紧地贴在姑母的胸脯上哭，醒后仍然觉得悲哀，久久抽泣不止。但关于那个梦，我一直守口如瓶，对姑母和其他人都没有提起过。

对姑母虽然各种追忆不少，但遗憾的是对父母的追忆却脑中皆无。曾祖母、祖母、父亲、母亲、三个哥哥、四个姐姐、一个弟弟，外加姑母和她的四个女儿，按说这是个大家庭，但除了姑母之外，我五六岁前对其他人也可说几乎是一无所知。我依稀记得，从前在宽敞的后院似乎有五六棵大苹果树，在阴

1 原文作「絵馬（えま）」，许愿或还愿而向神社献纳的画片或匾额，因最早主要画马代替活马而得名，后渐扩至别种东西的画片。

云笼罩的日子里，很多女孩爬到那些树上。那个院子的一角还有个菊园，下雨时我曾和很多女孩共用雨伞眺望已怒放的菊花争奇斗妍，那些女孩也许就是我的姐姐和堂姐妹们。

到了六七岁，我的回忆清晰起来。一位名叫阿竹的女仆教我读书，两人一同读了种种书籍。阿竹不顾一切地教育我，因我有病，便躺着读了很多书。没有可读的书了，阿竹便从村里的周日学校等处借来大量儿童读物让我读。因为学会了默读，我乐此不疲。阿竹还教导我道德，每每带我去寺院，给我看地狱天堂的挂画并加以说明。纵火者被迫背负着熊熊燃着红色火苗的背篓，纳妾者被双头青蛇缠身受熬煎。血海、针山、无间地狱[1]那白烟滚滚深不见底的洞穴，到处都有面色铁青、瘦骨嶙峋的人在半张着嘴哭号。当听说扯谎要下地狱，就这样被鬼拔掉舌头时，我吓得哭了起来。

那座寺院后面是一片较高的墓地。沿着棣棠树之类的灌木篱笆墙塔形木牌林立，有的带着好像圆月大小、车轮般的黑铁圈。阿竹说，人哗哗地转动那铁圈，不久就那样静止不动了，那么，此人就能上天堂；如眼看要停下却又反向转动起来，那么此人就会下地狱。阿竹一转动，就发出悦耳的声音，转动一阵子必定轻轻停住；而我一转动，有时就会反向转动。我记得是秋天，有一次我独自到寺院去转动那个铁圈，每次都不约而

1　即“阿鼻地狱”，八大地狱之一。

同似的，哐啷哐啷地反向转动。我强压火气连续不断地转了几十次。因天快黑了，我万念俱灰地从墓地离去。

那时父母好像住在东京，我由姑母带领进京。据说我在东京住了相当长的时间，然而我脑中却没有留下什么记忆，只记得有个老太婆经常到别墅来拜访。我讨厌这个老太婆，每逢她一来我就哭。虽然她送给我一个红色邮政汽车玩具，但我觉得没一点意思。

不久，我上了家乡的小学，追忆也随之一变。阿竹不知不觉间不在了，说是嫁去某渔村了。也许是因为怕我跟随她去，什么也没对我说就不见了。大约是翌年盂兰盆节时阿竹来我家玩，我感到她有点见外。她问了我的在校成绩，我没有回答，似乎是其他人替我回答的。阿竹只是说："粗心大意可不行啊！"并没有怎么夸奖我。

同一时段，发生了不得不和姑母也分别的情况。在那之前是：姑母的次女出嫁，三女夭亡，长女找了个牙科医生当上门女婿，那回是姑母带着长女夫妇和最小的女儿从大家庭里分出去，搬到很远的市镇去了，我也跟去了。那是冬天的事情，我和姑母一起蹲在雪橇的角落，在雪橇出发前我三哥骂我"上门女婿！""上门女婿！"，从雪橇篷子外几次三番捅我屁股。我咬紧牙关忍住了这番屈辱。原本以为是把我过继给姑母家了，但要上学的时候，我就又被送回家乡了。

上学后的我，已不是小孩子了。后面的空宅基地杂草丛生，一个天气晴好的夏日，弟弟的小保姆在草地上让我经历了憋闷的事。我八岁光景，估计小保姆当时也不过十四五岁。在我们乡下，管苜蓿叫“牧草”[1]，那位小保姆吩咐小我三岁的弟弟去找四片“牧草”叶子，借此把他支走，然后抱着我在地上叽里咕噜地遍地打滚。

接着，我们又藏到仓库里或是壁橱里玩耍。而弟弟非常碍事，他被独自留在壁橱外抽抽搭搭地哭泣，所以有时也被我三哥发现。三哥听弟弟说了后就打开了壁橱的门，小保姆则若无其事地说：“硬币掉壁橱里了。”

我也经常是谎话连篇。有过这样的事——小学二年级还是三年级的桃花节[2]那天，我对学校老师扯谎说：“家人说今天要装饰桃花节偶人，让我早点回家。”一节课也没上就回家了。对家人则说：“今天是桃花节，学校放假。”为将偶人从盒子里拿出来，我的帮忙实属多余。另外，我很喜欢鸟蛋。只要揭掉仓库的房顶瓦，随时可以搞到很多麻雀蛋。可是，我家的房顶就没有樱花鸟[3]的蛋、乌鸦蛋等，我便跟学校的学生们索要那种颜色如绿火苗一般的鸟蛋和长着奇怪斑点的鸟蛋。作为交换

---

1 原文作「ぼくさ」，为日本东北地区的方言，因用于肥田或作牲畜饲料而得名，译为“牧草”。

2 原文作「雛祭り（ひなまつり）」，又称「桃の節句（もものせっく）」。在日本，三月三日，有女孩的人家搭设架子陈列偶人，祈祷愿女孩健康成长。中文一般译为桃花节、女儿节或偶人节。

3 原文作「さくらどり（桜鳥）」，据查并没有“樱鸟”这一鸟种，这里特指樱花时节飞来的绣眼鸟等野鸟。

品，我把我的藏书五本一捆或十本一捆地送给他们。收集的鸟蛋用棉花包起来装满了桌子的抽屉。三哥似乎察觉了我的那种秘密交易，一天晚上，他提出要跟我借两本书，一本是西洋童话集，另一本是什么书我忘记了，我很恼恨三哥故意使坏，我那两本书都已投资到了鸟蛋上化为乌有了。三哥打的主意是我一说没有他便要追究那书的下落。我就回答："应该在，我找找看。"我的房间自不待言，我提着灯把整个家里都找了个遍。三哥一面跟着我到处找，一面笑着说："没有吧？"我固执地断言"有！"，甚至爬到厨房的置物架上去找。三哥最后说："算了吧！"

我在学校写的作文，也可谓全是胡编乱造。我尽力在作文中把自己写成神童一般，这样，就总会得到大家的喝彩，为此甚至不惜剽窃。当时，被老师当成杰作夸奖的《弟弟的剪影》，就是我一字不差抄袭某少年杂志的一等奖作品，老师让我用毛笔将其誊清后送展了。后来那件事被一个喜欢看书的学生发现，我便盼那学生死掉；也是那个时段，我的作文《秋夜》被所有老师交口称赞。但那是我的一篇小品文，说的是我用功用得头疼了，便来到廊下环视院子，皓月当空的夜晚，水池中有很多鲤鱼、金鱼在嬉戏，我陶醉地眺望着院中恬静的景色，忽然旁边房间里传出母亲她们的哄笑声，才使我醒悟过来，这时我的头疼也好了。这篇文章的内容无一真实。院落描写我确乎是从姐姐们的作文本上抄来的，甭说别的，我用功到头疼的情况就是子虚乌有。我讨厌学校，因此，我从没读过学校的教科书，读的全是娱乐性书籍。家里人只要看到我在读书，就以为是在用功。

不过，我要是将真实写进作文，是一定会产生恶果的。当我将父母不爱我这种牢骚话写进作文时，就要被班里的训导主任叫到教员室挨一顿训斥。给我的作文命题是“如果发生了战争”，我便写道“如果发生了比地震、打雷、火灾、老爷子[1]还可怕的战争，就首先逃到山里吧！捎带叫上老师。老师也是人，我也是人，害怕战争这一点上没什么两样”。这时，校长和副训导主任两人来调查我，问我是在什么心情下写的这些。我说“只是半开玩笑写的”，用这个瞎编的理由蒙骗过去。副训导主任在小本子上写下“好奇心”三个字。接着，我和副训导主任之间展开了辩论。他问道：“你写的‘老师也是人，我也是人’，人，全都一样吗？”我扭扭捏捏地答道：“我那样认为。”毕竟我是不轻易开口的人。这一来，他就问我：“我和校长都是一样的人，为什么工资不一样呢？”我考虑良久后回答道：“那是因为工作不同嘛！”戴着铁边眼镜、瘦脸的副训导主任马上把我那句话记到小本子上。以前我曾经对这位老师有好感，他接着又向我提出如下问题：“你父亲和我们是一样的人吗？”我被难住，哑口无言了。

1　地震、打雷、火灾、老爷子，日本人号称“四大怕”。

我父亲是个大忙人，不怎么在家，即便在家也不和孩子们在一起，我很怕这个父亲。我想要父亲的钢笔，但不便开口，独自苦思冥想到最后，某个晚上就在被窝里假装说梦话，对着在隔壁房间和客人谈话的父亲低声呼唤："钢笔！钢笔！"但看样子既没入父亲的耳，也没入父亲的心。我和弟弟在装满大米袋子的粮库里正玩得十分开心，父亲横在仓库门口申斥道："臭小子！滚出来！滚出来！"因为光亮从背后照进来，父亲的高大身影显得漆黑。一想到当时恐怖的情景，我现在都感到不快。

对母亲，我也亲近不起来。我是吃奶妈的奶发育成长，在姑母的怀里长大，小学二三年级前我还不认识母亲呢。下面所讲的事是两个男仆专门告诉我的：一天夜里，睡在我旁边的母亲看见我的被窝在动，感到奇怪，便问我在做什么。我当时相当困惑，就说："我腰疼正在按摩呢。"母亲睡眼惺忪地说："那么，你可以揉一揉，光是捶打也没……"我就默默地揉了一会儿腰。关于母亲的回忆往往都是缺乏温情的。我从库里拿出哥哥的西装，穿着它在后院花坛之间一边溜达，一边哼着自己即兴作的充满哀愁的歌曲热泪盈眶。我想穿着那身衣服和账房的书生[1]一起玩，便让女佣去叫他。可是，书生老是不过来。我用鞋尖划过后院的竹篱笆，发出哗啦哗啦的声音，等待着他。终于等得不耐烦，双手插进裤袋哭起来了。母亲发现我哭了，

1　指住到别人家里一面帮忙做家务一面上学的工读生。

不知为什么把我的西装扒掉，啪啪地打了我的屁股，我感觉自己受到了奇耻大辱。

我是从很早开始就关心服装问题的。衬衣的袖口没有纽扣我是不答应的，我喜欢穿白色的法兰绒衬衣，和服里面的衬衣领子不白也不行，并且还特别留心要让那白领从领口露出一两分。每年十五的月夜，村里的学生们都穿着漂亮衣服来上学，我也必定穿着茶色宽条纹的正宗法兰绒和服上学，在学校狭窄的走廊像女生一样用袅袅婷婷的小碎步急行。

我装那种时髦都是悄悄搞的，避免被人发现。家里人说，我的容貌是全家人里最丑的，因此考虑到我那样的丑男却如此装时髦，恐怕要被大家笑话，我反而装作对服装不关心，而且这一点我觉得在某种程度上是成功了。在任何人眼里，我可能都显得笨拙、土气。当我和我的兄弟们坐在饭桌前时，祖母和母亲她们经常一本正经地议论我的丑陋长相，对此，我还是很难受的。因为我坚信自己是个帅哥，所以我也曾去过女佣的房间，不露声色地问她们，兄弟中谁是最帅的男人，女佣们多半都那样说：大哥第一，其次就是小治。我涨红了脸，尽管如此还是有点不满。我是想让她们说我比大哥更帅的。

除了容貌问题，我笨手笨脚这一点，祖母她们也不中意。每逢吃饭时，她们都说我筷子的拿法拙劣，还说我鞠躬时屁股撅得太高难看得很。我曾经被要求在祖母面前端坐，一次次地被迫鞠躬，可是无论怎么做，祖母也不说我鞠躬鞠得好。

祖母对我来说，也是很感棘手的。村里戏棚子的开场季节，东京的雀三郎剧团下乡来此公演，每逢有演出我是场场必到。那戏棚子是我父亲建的，所以，我每次都能免费坐到好座位。一放学，我就马上换上柔软的和服，将细细的银锁链吊在和服带上，带的末端拴一支小铅笔，跑向戏棚子。生平第一次知道歌舞伎这种玩意儿，我很激动，看狂言的时候也都不止一次泪眼婆娑。演出结束后，我把弟弟、亲戚家的孩子们召集起来，搞了个“剧团”自导自演。我从很早就喜欢搞节目，每每把男仆和女仆召集起来又是给他们讲古，又是给他们放幻灯或电影。当时，我列了三出狂言，分别叫《山中鹿之助》[1]、《鸽子之家》和《加坡来》[2]。我从一本少年杂志上摘选出山中鹿之助在溪流岸边一家茶馆收了手下武将早川鲇之助[3]那一段，加以编剧整理。“在下乃山中鹿之助是也。”——为了把这长句子改成歌舞伎的七五调[4]，我真是煞费了苦心。而《鸽子之家》是我无论读多少遍都必定要流泪的长篇小说，我将其中最为悲切之处变成两场。而《加坡来》则是雀三郎剧团谢幕时乐队全员出动跳的那种舞，所以我也决定跳那种舞。排练了五六天，到

---

1 山中鹿之助（1545—1578）：山中幸盛。日本战国时代武将，尼子氏的重臣，尼子氏灭亡后跟随织田信长、丰臣秀吉，后被毛利氏捕杀。在本文中是狂言剧目名。

2 原文作「かっぽれ」，亦歌亦舞的舞踊，河竹默阿弥作词，五世岸泽式佐作曲。明治十九年（1886），九世市川团十郎在东京新富座进行了初演。

3 早川鲇之助：生卒年不详，战国武将，脚注1山中鹿之助的手下武将。

4 七五调：指和歌、歌谣、诗等，按七个字、五个字的顺序反复的形式或由此产生的韵律。

了上演那天，我把书库前宽大的走廊当成舞台，做了个小小的拉幕。

我们从中午开始就做了准备，可是，那拉幕上的铁丝刮到了祖母的下巴。祖母骂我说："你想用这根铁丝勒死我吗？赶紧停止那些河原叫花子[1]的勾当！"尽管如此，当天晚上我还是召集了十多个男仆女仆进行了演出，不过，一想到祖母的话，我的内心就堵得慌了。我虽然扮演了《山中鹿之助》《鸽子之家》中的男主角，也跳了《加坡来》，但感觉根本没劲，怅惘得几乎不能忍受。其后，我还演了《偷牛人》[2]《摔碗女亡灵》[3]《俊德丸[4]》等，每逢那时，祖母都很不痛快。

我虽然不喜欢祖母，但在不能成寐的夜晚，我也有过感谢祖母的时候。在小学三四年级时，我患上了失眠症，到了夜里两三点钟还是不能入睡，经常在被窝里啼哭。家里人就教给我很多办法，诸如睡前吃砂糖啦，数座钟的嘀嗒声啦，用冷水泡脚啦，把合欢树的叶子铺在枕下啦，等等，但似乎都没什么效果。

---

1 原文作「河原乞食（かわらこじき）」，对歌舞伎演员的蔑称。因歌舞伎于近世初期起源于京都的四条河原，故而得此蔑称。

2 狂言之剧目名。讲述的故事情节是：有人偷御所（天皇皇宫）之牛，其子见悬赏便检举了其父，后又乞求饶其父命，因检举有功而获准。

3 原文作「皿屋敷（さらやしき）」，狂言之剧目名。流传于江户时代的鬼怪故事，大致情节是：因打破主家珍藏的宝盘而自杀（或被杀）的女仆亡魂悲愤地数盘子的数目。歌舞伎、狂言、净琉璃都有该剧目。

4 谣曲《弱法师》之主人公，因遭谗言被逐出家门流浪，后沦为盲人乞丐。

我是个心不宽的人，晚上，脑中要翻腾出种种事情瞎担心，所以就更睡不着了。偷偷鼓捣父亲的夹鼻眼镜，“嘎巴”一声把玻璃镜片打碎的时候，我连续几夜难以成眠。与我家有一栋房之隔的人家是个杂货铺，也卖少量书籍。有一天，有过这样的事——我在那家店里见到一本女性杂志的卷首画，其中有一幅黄色的美人鱼水彩画，我非常想要，便想偷走，悄悄从杂志上撕下来时，被店里少掌柜盘问：“小治！小治！”我便将那本杂志使劲地摔到店里的榻榻米上，然后飞也似的跑回家了。而这种失败又加剧了我的失眠。另外，我在被窝里还无端地因恐惧火灾而备受煎熬，一想到这个家要是被烧掉了，我就睡意全无。有一次，我睡觉中间起来如厕，与厕所隔个走廊的黑咕隆咚的账房里，书生在独自放电影。白熊从冰山上跳入海中的场面时隐时现地映在房间隔扇上，有火柴盒大小。我看到这，油然感到书生的那种心情无比悲凉，不堪忍受。进入被窝之后，一想到电影的场面仍然内心狂跳不止。我又是想到书生的身世，又是想到万一放映机的胶片起火酿成大祸可怎么办，忧心忡忡，一直到接近破晓也没能入睡。我对祖母怀有感激之情，就是在这样的夜晚。

首先，晚八点的时候，女佣伺候我睡下。我睡着之前，女佣是要一直陪睡在我身旁的。我可怜女佣，所以，一进被窝就马上装作睡着了。我一边感觉到女佣悄悄地离开了我的被窝，一边一门心思地祷告能快点睡着。直到十点钟，我还在被窝里辗转反侧，便低声哭着爬了起来。那时全家人都在梦乡，只有祖母没睡。祖母和打更老头围在厨房的地炉旁聊着天。我穿着宽袖棉袍加入其中，一言不发地听他们谈话。他们必定在议论村里人们的家长里短。一个秋夜，更已经深了，我听着他们叽叽咯咯谈话时，远处传来驱赶害虫仪式的咚咚鼓声，听到那声音，我就浑身来劲地想道：啊！还有很多没睡的人啊！只有这件事我一直没有忘记。

说到声音我有个回忆。我大哥当时在东京的大学，每逢暑假回乡，总是将一些音乐、文学的新时尚推广到乡下。大哥是学戏剧的，在某乡土杂志上发表了一篇名叫《你争我抢》的独幕剧脚本，在村里的年轻人之间受到好评。他完成脚本后，也读给众多弟弟妹妹听。大家一片“不懂！”“不懂！”的声音，但我懂，甚至闭幕时的台词“漆黑的夜啊！”里所含诗意我都能理解。而且，我认为剧名不应叫“你争我抢”，而应该叫“荠菜”，所以，其后我就在大哥写坏作废了的稿纸角落小小地写上了我的意见。大约大哥没有发现，所以还是没改原题就那样发表了。大哥还收集了相当多的唱片。我父亲举办什么家宴时，必定从大老远的大城市千里迢迢地请来艺妓，我也记得五六岁时被那种艺妓们抱过，学会了《从前从前那个从前》[1]

1　此处原文作「むかしむかしそのむかし（昔昔その昔）」，与《那是纪国的柑橘船》一样，都是艺妓被招来唱堂会时唱的歌。经与日本学者研究认为，当时作中的“我”不过五六岁，记忆模糊，不排除把歌名《嘿啦嘿啦狮子歌》里的一句歌词“从前从前那个从前”误当成了歌名。该歌词里有“狮子”“九郎判官源义经”，还有义经的情人“阿静”等字样出现。

呀，《那是纪国的柑橘船》[1]呀等谣曲和舞蹈。因为这，比起大哥唱片里的西洋音乐，我更快地适应了日本传统音乐。一个夜晚我刚睡下，从大哥房间传出美妙的音乐，我便从枕头上抬起头来侧耳倾听。次日，我早早起床到大哥房间随手一张张地放唱片，并且我终于找到了前一晚令我兴奋到难以入睡的那张唱片，是《兰蝶》[2]。

不过，与大哥相比，我和二哥更亲一些。二哥以优异的成绩毕业于东京的商业学校，然后就直接回乡在自家银行工作了。二哥也是受家人冷遇的。我曾听母亲和祖母她们说过：长得最丑的是我，其次就是二哥。所以，二哥的不招人待见，恐怕也是源于容貌吧。我记得二哥曾半调侃似的对我说过这样的玩笑话："什么也不需要，我也想只要生得仪表堂堂就好，你说是不？小治。"不过我内心倒从没觉得二哥长得难看。我相信，在兄弟们中间，头脑方面他是属于聪明伶俐的。二哥每天喝了酒就和祖母吵架。每当那时，我就私下对祖母心生怨恨。

最小的哥哥和我的关系是互相对立的。因为我有很多把柄

1　此歌原文作「あれは紀のくにみかんぶね（あれは紀の国蜜柑船）」，源于江户时代一传说——纪州（旧诸侯国名，相当于现在的和歌山县全部及三重县一部）盛产蜜橘，那年纪州蜜橘大丰收但去江户的水路被封，蜜橘运不出去价格狂跌；而江户却因无蜜橘，其价格暴涨。看到商机的文左卫门借钱收购大量蜜橘，修好自家破船并说服水手，费尽千辛万苦，于九死一生中将蜜橘运至江户，赚了大钱遂成财主。后世留下了「沖の暗いのに白帆がみゆる、あれは紀ノ国ミカン船」（译者试译：黝黑大海见白帆，那是纪州的蜜橘船）和叫作「カッポレ」（加坡来）的歌舞。

2　沿街说唱（新内小调）的曲目名，讲述帮闲为生的兰蝶与妓女此丝相好，夹在老婆阿宫与此丝之间，最后与此丝双双殉情的故事。

被他抓在手里，所以在他面前我总是局促不安。加之小哥和我小弟两人长得很像，被大家夸奖长得漂亮，我强烈地感到被这两人上挤下压。这小哥上中学后，我才总算松了口气。小弟呢，是小儿子，又生得一张好脸蛋，父母都对他疼爱有加。我不断地嫉妒小弟，经常因揍他而遭到母亲的训斥，我对母亲怀恨在心。记得我大约十岁十一岁的时候，因衬衣和贴身汗衫的衣缝里满满地生了芝麻粒一般的虱子等原因，被小弟稍微嘲笑了一下，我就把他结结实实地打倒在地。不过，我还是有点担心，便给他头上起的几个包涂了一种名叫“不可饮”的药。

我受到姐姐们的疼爱。大姐夭亡，二姐出嫁，剩下的三姐四姐分别上了不同市镇的女校。我们村不通火车，所以到相距大约十二公里左右通火车的城市，夏天靠马车，冬天靠雪橇，而春天冰雪消融时节或秋天雨夹雪的天气时，就只好步行。又因为三姐四姐坐雪橇晕车，所以，放寒假时也是步行回来。我每次都到村头建筑木材堆那去接。即便天大黑了，道路仍然被雪映照得通亮。良久，从邻村森林背光处隐约出现姐姐们的提灯时，我便大声喊“喂——”，并挥动双手。

三姐上的学校所在市镇比四姐学校的市镇还小，所以带回的礼品比起四姐的总是很寒酸。有一次，三姐一面红着脸说“什么也没有”，一面从衣袋中掏出五六把纸捻焰火给了我，我当时感到很揪心。这位姐姐也总被家里人说长得不漂亮。

这位姐姐因为和曾祖母在厢房里起居，以至我还误以为她是曾祖母的女儿呢。曾祖母是在我小学毕业时去世的，曾祖母被穿上白色和服入殓时，身子又小又僵硬，我一眼看到，就担心：这个形象今后要是长期在我脑中萦绕，那可怎么办啊？

不久，我小学毕业了。说是因为我身体差，家人只让我上一年高等小学校[1]。父亲说，身体好了就让我上中学，但像哥哥们那样去东京的学校不利于健康，所以要把我送到更加偏僻的乡下中学。我不是那么想上什么中学，尽管如此，我还是在作文里写到对自己的体弱感到遗憾，来迫使老师们同情我。

当时，我们村实行的也是町制[2]，那所高等小学校是我所在的町和附近五六个村共同出资办的，在离市镇两公里的松林中。虽然我总是因病缺席，但因为是该小学的代表，所以，在其他村优等生云集的高等小学校也必须努力争当第一名。然而，我在那所学校依然不用功。"我马上就当中学生了"的优越感令我不快，我觉得该小学肮脏。课堂上我主要是画连环画，一下课就进行声音模仿秀，向学生们宣讲漫画内容。那种漫画的本子我积攒了四五册之多。我在桌子上手托下巴茫然望着教室外的景色，有时甚至能超过一小时。因我的座位在玻璃窗旁，玻璃窗上有一只被捻碎的死苍蝇一直粘在上面，这只死苍蝇在我视野的余光中模模糊糊显得很大，在我想来如同

---

1 旧制"寻常小学校"毕业后，会进入较高程度的初等教育的学校，修业期两年，不属义务教育范畴。又叫"高等科"。

2 町，作为地方公共团体的一个行政单位，有关其构成、部门、权限等的制度被称为町制。

野鸡或山鸠那般大，几度令我吃惊。我和喜欢我的五六个学生一起逃课，胡乱地躺在松林后的水池边玩耍，又是议论女生，又是大家一起撩起和服，互相比较稀疏地长在那个部位的毛毛。

那所学校是男女生混校，尽管如此，我也没有接近过女生。我的情欲很强，所以就拼命压抑，对女人很感胆怯。过去曾有两三个女生对我有好感，然而我总是一直佯装不知。我每每从父亲的书架上拿出帝国美术院展览的入选画册，满脸发烫地翻看里面隐藏的白色画作。我还屡屡让我养的一对兔子交尾，为雄兔那弓起的圆形脊背而疯狂心跳。我就依靠这些忍住我的情欲。因我是个虚荣的人，所以甚至连手淫也不对任何人说，在一本书里读到其害处，苦心孤诣多次要戒掉，但都没有成功。不久，有赖于我每天步行到那个很远的学校上学，身体也渐渐变得强壮了。额头起了一些小米粒大小的疙瘩，对此我也很感羞耻。我往上涂一种叫宝丹膏的药，将其涂得通红。那一年大哥结婚，婚礼当晚，我和弟弟悄悄溜进那位新嫂嫂的房间，嫂嫂正后背对着门坐在那里扎头发，我一眼看到映在镜子里的新娘微微白皙的笑脸，便即刻拉着弟弟逃跑了，并逞强地对弟弟说："我就说长得没啥大不了的嘛！"因为涂药把额头涂得通红，为此我就更加觉得难为情，所以就越发做出逆反行动。

冬天临近了。我也必须开始准备考中学了。我看到杂志上的广告，从东京订购了很多参考书，但只是把它们摆在书箱里，根本不看。我要考的中学位于县里第一大的城市，报考者必定有两三倍之多。我经常担心名落孙山，那种时候我也用功了。而且，连续用功一周时，便马上有了能考上的把握。我用起功来，快半夜十二点了还不上床，早晨多半四点起床。用功学习时，有位名叫阿民的女仆在我身旁陪伴，让她生炭火盆或者烧茶。阿民不管熬夜到多晚，次晨必定四点来叫我起床。我为算数课里老鼠生崽子的应用题很伤脑筋时，阿民在旁边老老实实地看小说。后来，一个年老的肥胖女佣来代替阿民陪伴我，我知道那是母亲的主意。考虑到母亲的深意，我眉头紧锁了。

翌年春天，积雪还很深的时候，家父在东京的医院吐血去世，附近的报馆为家父的讣报发了号外。比起父亲的死，我更为这样一种轰动感到兴奋。我的名字也掺杂在遗属名单中上了报。父亲的遗骸躺在一口很大的棺材里，被放在雪橇上拉回故乡。我和众多镇上人一起到邻村附近去迎接。一会工夫，月光下带篷雪橇一辆接一辆地从森林暗处滑行过来。望着此情此景，我觉得美不胜收。

翌日，我的家里人都聚集在放有亡父灵柩的佛堂房间[1]，一打开棺盖，大家都大声哭号。父亲似乎睡着了，高高的鼻梁变

1　安置佛像以及牌位等的房间。

得苍白。我听到大家的哭声，受到感染也流下了眼泪。

在那一个月期间，我家闹腾得如同失了火。我被裹挟在混乱中，备考也完全疏忽了。高等小学校的学年考试我也几乎是乱答了一通。虽然我的成绩在全班排在第三名左右，但这很明显是训导主任碍于我家面子对我的照顾。当时我已感到记忆力减退，如不事先准备，考试时我是什么也答不出的。对我来说，那种体验还是首次。

第二章

虽然不是好成绩，但我在那年春天考上了中学。我穿着新的和服裤裙、黑袜子和高腰鞋子，不再像从前一样披着毛毯，而是像个时髦的人一样不扣纽扣、前面敞开地披着毛呢披风，来到那个有大海的小城，并在该城我家一位远亲开的和服店里打开了我的行李。那家店挂着的门帘又老又旧，已裂开了口子，我一直承蒙那家人关照。

我的性格是对任何事都容易忘乎所以。入学时去公共澡堂洗澡，我也戴着学校的制帽，穿着裤裙。当我的那种姿态映在大街的玻璃窗上时，我笑着对其轻轻地点头致意。

然而，学校却索然无味。校舍在城边，涂着白漆，其后面紧靠的就是一个面朝海峡的平坦公园，上课时都能听到海浪声和松涛声。走廊宽敞、天棚很高，对这一切我都感觉良好，但那里的老师们却狠狠地迫害我。

我在开学典礼那天就挨了一个体操老师的打，说我不知天高地厚。该老师是我入学考试时的口试老师，只因他当时对我说过让我丢面子的话："你父亲去世后，你连学也不好好上了吧？"我当时也就在他面前垂头丧气。正因为打我的老师是他，我内心的创伤更甚一层。其后，我又遭到各科老师的殴打，他们说我嬉皮笑脸呀，打哈欠呀，用种种理由责罚我；还据说我在课堂上的哈欠很大，这在教员室是出了名的。我感到老师们在教员室交谈这种荒唐事实在可笑。

一天，和我来自同一市镇的一个学生把我叫到校园砂山的背阴处，忠告我说："你的态度看来确实是不知天高地厚，老那样挨揍的话肯定是要留级的。"我愕然了。那天下课后，我沿着海岸独自往家赶，海浪打着我的鞋底，我叹了口气走我的路。用西装袖子来擦额头上的汗时，一面鼠灰色的大船帆从我眼前摇摇晃晃地通过，令我大惊。

我是片正在凋谢的花瓣。只要有点风丝，我便会发抖；被别人稍微轻视，我便苦闷得想死。我认为自己不久必定会发迹，要保住英雄的名誉，即便受到大人的侮辱，也是不可饶恕的，故而留级这种丢人事也足以致命。其后我战战兢兢地听课了，一面听讲一面想：这个教室里有着一百个无形的敌人啊，丝毫不能大意。早晨临上学前，我在桌上摆扑克牌，来占卜那一整天的命运吉凶。红桃为大吉，方块为半吉，梅花为半凶，黑桃为大凶。而那一时期，我每天全是黑桃。

不久，考试临近了。博物课、地理课、修身课，我都努力争取做到将教科书上的内容一字不差地背下来。这固然源于我的一种洁癖——生死在此一举的碰大运精神，但这种学习方法却带来了对我不利的结果。因为我感到学习异常乏味，考试时也不能灵活应对，有时能答出近乎完美的考卷，有时又卡在无关紧要的一字一词上乱了方寸，只是毫无意义地糟蹋了考卷。

然而，我第一学期的成绩是全班第三名。操行也是甲。曾经提心吊胆害怕留级而备受煎熬的我，一手攥着成绩通知单，另一只手提溜着鞋子，光着脚一直跑到学校后面的海岸，我那是高兴的。

结束了一学期，第一次回乡时，为了将我中学生活的短暂体验尽可能有声有色地讲给弟弟们听，我将那三四个月身边的所有物品甚至包括坐垫都塞进了行李。

坐在摇摇晃晃的马车里一经穿过邻村，眼前展开的便是方圆几十平方公里绿油油的农田，农田尽头耸立着我家的红色大屋顶。我眺望着它，感到似乎已经相违十年。

我的心情再没有比放假那一个月更扬扬得意的了。我把中学的情况添枝加叶地讲给弟弟们听，讲得就像梦幻一样。我也把那个小市镇尽力妖魔化地讲解了一通。

我或者素描风景，或者采集昆虫，在原野和峡谷溪流处到处奔跑。画五幅水彩画、用捕虫网收集十种昆虫标本是老师布置的假期作业。我肩扛着捕虫网，让弟弟拿着装镊子、杀虫管[1]的采集包，追赶着白粉蝶，在夏日的草原上度过一整天。入夜，在庭园燃起熊熊篝火，接二连三地用网和扫把将飞来的很多虫子打落。小哥哥进的是美术学校的，学的是雕塑专业，他每天在中庭的大栗子树下鼓捣泥土，雕成了一尊已从女校毕业的四姐的半身像。我也在他旁边画了好几张姐姐的素描，和小哥哥互相贬损对方作品的瑕疵。四姐认真地给我们当模特，不过那种时候，她总是站在我的立场，替我的水彩画说好话。这个小哥哥小时被大家称为天才，他对我的所有才能都嗤之以鼻，甚至将我的文章嘲笑为小学生作文。我呢，在当时也是毫不掩饰地贬低小哥哥的艺术创造力。

一天晚上，那位小哥哥来到我睡觉处，一面低声地说着“小治，有珍奇动物呀！”，一面蹲下身来，从蚊帐下面悄悄给我放进了一个擦鼻涕纸包着的东西。小哥哥是知道我在收集珍奇昆虫的。纸包里发出虫子脚挣扎的沙沙声。我由那微小的声音领略了什么叫骨肉之情。我粗暴地打开那个小纸包时，哥哥屏住气说道：“要逃跑啦！你瞧！你瞧！”一看，原来是一只普通的锹形甲虫。我把这只鞘翅类昆虫也放进我采集的十种珍奇昆虫中，提交给了老师。

假期快结束时，我悲伤起来。离开故乡来到那个小市镇，

---

1 原文作「毒壶（どくつぼ）」，一般用「毒瓶（どくびん）」，采集昆虫用品，「毒壶」系大型容器，又名「殺虫管」。将昆虫与用药液浸过的脱脂棉一起放入其中，然后做成标本。

当我独自在和服店的楼上打开行李时，我差点哭出来。我在那种落寞的时候固定去书店。此时便是如此，我跑到了附近的书店。只要看到摆在那里的出版物琳琅满目的书脊，我的忧愁便神奇般地消失了。那家书店角落的书架上有五六本我非常想要但买不起的书。我常常假装若无其事地在那前面站住，双膝战战兢兢地偷看那本书的内容。可是我去书店不仅是为了阅读那种医学类文章，因为当时对我来说，任何书都是一种休养和慰藉。

学校的学习是越来越乏味了。最可恨的是往空白地图上用水彩画入山脉、港湾、河川等作业，而我是个凡事都追求完美的人，涂这地图的彩色我就花费了三四小时之久；历史课之类的也是，老师特意吩咐我们准备个笔记本，将讲课要点记到笔记本里。然而老师的讲课实际上是照本宣科，所以，自然而然地，我就只能将教科书内容原封不动地抄下来。尽管如此，因为我还是介意成绩的，所以每天很卖力气地做这种作业。一到秋天，那个市镇中学之间开始了各种运动项目的比赛。我来自农村，甚至连棒球的比赛都没有见过。只是在小说里记住了满垒呀，攻击游击手呀，中场手呀这些术语，不久学会了观看比赛的门道，但并不太热心。不仅是棒球，每逢和外校进行什么网球呀，柔道之类的比赛，我就不得不充当啦啦队的一员为选手们加油，不过，那让我更讨厌中学生活了。有个称为啦啦队队长的，故意邋里邋遢地拿着画有太阳旗的扇子，爬上校园院子里的高岗演说时，学生们兴高采烈，说那啦啦队队长的样子“难看死了！难看死了！”。比赛时，每逢一局完了的间隙，队长便挥扇喊叫：“全体起立！”我们便站起身来，一齐边挥舞紫色小三角旗，边唱起啦啦队的加油歌曲《好敌手好敌手，尽管遇强敌》[1]。我对这件事很感羞愧，每每找到空子便逃离啦啦队跑回家去。

不过，我也并非没有做过体育运动。我的脸色铁青，我相信是那种手淫按摩的缘故，所以，一被人说到脸色，我便惊慌失措，似乎被人点破了我的秘密。我是想设法改善脸色才开始体育运动的。

我从老早就为这血色问题伤脑筋了。小学四五年级时，我从小哥哥那里听来“民主思想”，还听到甚至就连母亲都对客人们抱怨，因为那个“民主”税金暴涨，收来的米几乎悉数被当作税金收走。听到母亲的抱怨，我对那种思想感到胆怯、狼狈，便在夏天帮男仆割院子里的草啦，在冬天帮他们推屋顶上的雪啦，同时教给他们民主思想。这一来我才知道，男仆们不太欢迎我的帮助。因为我割草之后，他们好像还必须返工。帮助男仆们的名义背后，我还打着小算盘，试图改善我的脸色，然而，就是那样卖力地干体力活，我的脸色也毫无

---

1 原文作「よい敵よい敵けなげなれども」，如直译其意为“好敌手好敌手，尽管是劲敌”。据判断，这可能是太宰青森初中在读时该校的啦啦队队歌，后面的歌词应该是：尽管碰上劲敌，我校队比对方更胜一筹。

改善。

上了中学以后，我想通过运动来改善脸色，所以天热时分，放学后回家的途中，我必定下海游泳。我喜欢一种叫作蛙泳的技术，就是像青蛙一样两腿分开游。因为是把头笔直地从水中伸出，所以，能够边游泳边将浪花起伏的细碎波纹、海岸上的绿叶、流水般的行云等等尽收眼底。我游泳时像乌龟一样尽力把头伸出水面老高，尽可能让脸接近太阳，以便早点把脸晒黑。

另外，我住的地方后面是片宽阔的墓地，我制作了一条直通那里的百米跑道，独自认真地跑。该墓地被一片高高的茂密白杨林所包围，跑累了我便一面读着塔形木牌上的文字，一面信步而行。到现在我还没有忘记什么“月穿潭底”，什么“三界唯一心”之类的词句。一天，我发现一块墓碑，又黑又潮长满苔藓，上面写着“寂性清寥居士”，内心颇起波澜。我用沾满泥巴的食指，在那墓前新装饰的纸莲花白叶上，细细地涂写上受某法国诗人暗示的诗句，“我现在正在土下与蛆虫嬉戏”，宛若幽灵写的一般。次日傍晚，我在开始运动前先去参拜了昨天的墓碑，发现因早晨的骤雨，亡魂的文字在没有令其某亲人悲泣之前，便被冲刷得踪影全无，莲花的白叶也支离破碎了。

我虽然是玩着做那些事的，但奔跑一事也大有长进。两腿肌肉鼓起变得溜圆。不过脸色还是没有改善。黑色的表皮深处，沉淀着令人不快的、浑浊的青色。

我曾经对面容抱有兴趣。读书厌倦了，便拿出小镜子或者微笑，或者皱眉，或者单手托腮做穷于思考一筹莫展之状，不厌其烦地观察表情。我掌握了肯定能让人发笑的表情之诀窍。眯缝眼，皱鼻子，把嘴噘得小小的，就会像熊崽子一样可爱。我不满或者迷惑时便会做出那种表情。我四姐当时在市里县立医院的内科住院，我去看望她时做出那种表情给她看，姐姐便捧腹大笑，滚倒在床。姐姐从家里带来个中年女佣，两人在医院生活，所以相当寂寞，一听到我在医院走廊沉重的脚步声，就已经兴高采烈，我的脚步声是高得离谱的。我如果一周没到姐姐那里去，姐姐就会打发女佣过来接我。那女佣一本正经地告诉我，我一不去，“姐姐的体温就会奇怪地升高，病情加重”。

当时我已经十五六岁了，手背上蓝色的静脉血管依稀可见，身体也感觉格外笨重。我和同班一个脸色黝黑、小个子的学生悄悄相爱。放学回家时，必定是两人一起并排走路。即便双方的小拇指相触，我们也会脸红。有一次，两人从学校背后的路往回走，那学生发现水芹、繁缕等青葱茂密的水田沟中漂着一只蝾螈，便默默地捉住给了我。我呢，虽然讨厌蝾螈，但还是做出喜欢的样子，高兴地将其包在手帕里。带回家后，我便把它放到中庭的水池中了。蝾螈摆动着短尾巴四处游着水，次日早晨我去看时，它已经逃得无影无踪了。

因为我有着很强的矜持之心，所以，我从没想过向别人吐露心事。我跟那个学生平素也很少开口。同一时期，我又注意到邻家一个瘦瘦的女生，而即便与这位女生在路上碰到，我也几乎都是用力将脸扭向一旁，仿佛没把她放在眼里似的。秋天时半夜发生火灾，我也起来到外面一看，离我家很近的一座神社暗处，火星四溅地在燃烧。神社的杉树林似乎围住了那火焰因而显得漆黑，很多小鸟落叶般地在杉树林上方狂飞乱舞。我明知一个穿白色睡衣的女子站在邻家门口正朝我这边张望，但我转过脸不看她，只是目不转睛地望着大火。我当时想，我的侧脸被红彤彤的火光照耀，一定很美吧？因为也就是这么个程度，我和先前的学生也罢，和这位女生也罢，关系就没能往前发展。但我独自一人时，按说胆子就更大了，又是对着镜子里的脸闭上一只眼笑啦，又是用小刀在桌上刻出个薄薄的嘴唇，然后把自己的嘴唇压到上面。其后我往这嘴唇上涂了涂红墨水，但奇怪地变成了紫黑色，我便产生了厌烦之感，用小刀将其毁掉了。

成为三年生后一个春日的早晨，我在上学途中曾凭靠一座桥的朱红栏杆发呆许久。桥下是和隅田川一样宽广的河，河水缓缓地流着。我以前还没有一次像这样完全处于茫然状态，总觉得背后似乎有人在看着我，所以我随时都要装出某种姿态来。我要在旁边加上这类说明：对我一一的细碎动作，他困惑地望着手掌心；他掏着自己的耳朵喃喃自语；等等。故而，对我来说，不可能有什么“猛然”啦，“忘我地”啦之类的动作。我从桥上的恍惚状态回过神来后，因怅然而感忐忑不安。每当此时，我又会思虑起自己以往和未来的走向。我一面噔噔地走过桥，一面追忆起种种往事，然后又开始梦想，并且最后叹了口气这样想道：或许我会发迹也未可知。我就是从那前后起内心开始焦躁的。我对一切都不能彻底满意，所以总是在徒劳地挣扎。因我脸上贴着十层二十层假面具，对哪件事如何悲伤法我是分辨不清的。而到头来，我便找到了某种宣泄的出口，那就是创作。这里有很多同类，我不由得感到，他们都和我一样凝视着这种原因不明的惶恐。我私下期望着："成为作家吧！""成为作家吧！"弟弟那年也上了中学，和我在一个房间起居，我和弟弟商量后，初夏时聚集五六个朋友办了同人杂志。我住的房子斜对面就是印厂，就拜托他们印刷。封皮让他们使用石印，印工考究。我将那杂志分发给班里的同学们。我呢，每月发表一篇创作。起初写的是类似哲学家关于道德的那种小说，一两行的片段性随笔也是我的强项。该杂志其后持续了一年之久，我因此事和大哥产生了隔阂。

我大哥很担心我醉心于文学，从故乡寄来了长信。他以耿直的口气写给我说："我认为，化学有方程式，几何有定理，解开它的整个钥匙人家都给你摆着，而文学是没有那些的。未达到被认可的年龄，没那个环境，是不可能正确地完全理解文学的。"我也觉得倒是不错，但我觉得自己就是个被认可的人。我立刻给大哥回信说："长兄所言极是，有如此优秀之长兄实乃幸福。但我为文学从未怠惰，惟其如此，故而更加奋力勉学。”我甚至在信中多处掺杂着夸大的感情来告知大哥。

别的不说，就冲着这种“你小子必须比众人优秀”的胁迫般的想法，实际上我是用功的。成为三年生之后，我总是班里的第一名。当第一名而不被人们说“分数迷”是困难的，但我呢，不仅没有受到那样的嘲笑，而且深谙让同学驯服的招数，就连绰号“章鱼”的柔道队长都对我俯首帖耳。教室墙角放着一个装碎纸的大罐子，我偶尔指着罐子说：“章鱼你不往罐里钻吗？”章鱼便把头钻进罐子[1]里笑，那笑声在罐子里回荡，发出特别的声响。班里的小帅哥们十有八九都和我亲近，我脸上长着青春痘，不少地方贴着剪成三角形、六角形、花形等的创可贴，也没人笑话我。

这青春痘真是太伤脑筋了。当时的数目越来越多，每天清晨醒来，我都要用手掌把整个脸抚摸检查一遍。虽然买来各种药涂抹，但毫无效果。我到药店去买那些药时，必定将药名写在纸片上，问询：“有这种药吗？”做出受别人拜托的样子。想到那些青春痘是情欲的象征，我羞得两眼发黑，甚至也想过干脆一死了之。对于我这张脸，家里人的评价也低到了极点。听说已嫁人的大姐甚至说，恐怕没人来给小治做媳妇吧。我呢，

---

1 日本人捕章鱼时，会事先在海中布置大量的陶罐，日文唤作「蛸壺（たこつぼ）」，用守株待兔的办法待章鱼进入后，渔民开着捕章机船将其一个一个地提出水面，空的将水倒掉重新放回去；里面有章鱼的弄出章鱼后，也同样将罐送回原处。这里是在用室内垃圾桶比喻捕章陶罐来取笑班里的柔道队长，以示“我”在班里的权威地位。

就拼命地涂药。

弟弟也担心我的青春痘，几次代我去买药。我和弟弟从小就关系不好，弟弟中考时，我甚至希望他落榜，但两人都离乡背井后，我也渐渐发现了弟弟的好性情。随着年龄的增长，弟弟变得内向、少言寡语了。他也不时给我们的同人杂志投一些小品文，不过都是些文文弱弱的文章。他学校成绩比我差，不断为此烦恼，我要是安慰他两句他反倒不高兴；另外，弟弟的发际线呈富士山似的三角形，他觉得像女人而十分懊丧。他坚信是因为额头太窄，所以头脑才如此愚笨的。只有对这个弟弟，我所有事都能原谅。当时我与人接触时，要么隐藏自己，要么和盘托出，二者必居其一。我与弟弟就是一切都打开天窗说亮话。

初秋某个没有月亮的夜晚，我们到港口的栈桥，享受着海峡那边吹过来的熏风拂面，聊起了有关红线的话题。那是有一次学校的国语老师课上讲给学生的，说是我们的右脚小拇指上拴着一根无形的红线，哧溜哧溜变长的线头另一端必定同样被拴在某一女孩的右脚小拇指上。两人不管距离多远，那根红线也不会断；不管距离多近，哪怕是在大街上相遇了，那根红线也不会纠缠不清。这样，我们就一定会娶那女孩做媳妇。我首次听到这话时相当兴奋，以至于一到家就讲给弟弟听了。那个夜晚，我俩也一面侧耳谛听着波涛声和海鸥的鸣叫声，一面聊起了那个话题。我问弟弟："你妻子现在做什么呢？"弟弟两手摇晃两三次栈桥的栏杆后，难为情地说："在院子里走着。"我便不由得想象出一位手拿团扇、穿着大大的院内用木屐的少女，在眺望着夜来香，该少女和弟弟倒也相配。轮到我说的时候，我眼望黝黑的大海，只说了一句"系红色和服带的"便住口了。从海峡那边开过来的渡轮恰似很大的旅馆，摇曳着从水平线上浮现，大量的房间都亮着黄色灯火。

只有下面这件事，我连弟弟也没说：那年暑假我回乡时，一个新来的女仆用粗暴的动作给我脱了西装，她小小的个子，系着红色和服带，名叫美代。

我有个毛病，就是在睡前要点一支香烟，思考小说的开头之类。美代不知不觉知道了这件事。一个晚上，她给我铺完被窝，便在枕边规规矩矩地放了香烟盒。次晨，我对来打扫房间的美代吩咐说："香烟是秘密吸的，不许放什么香烟盒！"美代很不高兴地说了句"是喽"！还是这个暑假，镇上来了浪花小调[1]的表演剧团时，我家就让所有用人一律到戏台去听。我和弟弟也被叫去听，但我俩看不起乡下的演出，故意到田里去捉萤火虫了。因夜露太重，我们到邻村的森林附近，仅仅往笼子里放了二十只左右便回家了。而去听浪花小调的人们也陆续回来了。让美代铺了被子，吊起蚊帐后，我们把电灯关掉，将那些萤火虫放到蚊帐里。萤火虫在蚊帐里嗖嗖地乱飞，美代也伫

1 原文作「浪花節（なにわぶし）」，一种说唱形式，江户时代起源于大坂（那时还不是"阪"字），用三弦伴奏讲述一些人情义理的故事，和中国的苏州评弹有点相似。

立在蚊帐外看了许久萤火虫。我和弟弟并排胡乱地躺在床上，比起观看萤火虫的蓝光，我印象更深的倒是黑暗中美代的白皙面容。我用有点古板的语调问了一句："浪花小调有趣吗？"而以前，除了吩咐女佣做事之外，我是绝不多言一句的。美代用安静的语调回答："没意思。"我笑了出来。弟弟默默无语地将粘在蚊帐下部的一只萤火虫啪嗒啪嗒地往外赶。我感到了某种尴尬。

从那时起，我心里就有了美代。说起红线，脑中便浮现出美代的身姿。

第三章

成为四年生后，每天有两个学生来我房间玩。我用葡萄酒和鱿鱼干招待他们，还教给他们很多胡诌的东西。像有一本书里写着怎样生炭火呀；还有一本新秀作家的著作，书名叫《野兽机器》，说是作者把书涂满机器油就这样来发售，装帧奇特呀；还有一本译作，名叫《美貌之友》[1]，我把此书多处裁掉，在空白处补上我写的拙劣文章，秘密拜托认识的印厂师傅给补印，然后就说这是奇书呀，令朋友们惊诧不已。

---

1 据判断可能是指法国作家莫泊桑（1850—1893）的长篇小说《漂亮朋友》（又译《俊友》），这是一部极有批判力的讽刺小说。它通过描写下级军官杜洛瓦流氓式的发迹过程，批判了这类人灵魂的卑鄙与龌龊，深刻地反映了十九世纪法国政治生活的黑暗与丑恶。

关于美代的回忆渐渐淡化，加之，住在同一屋檐下的两人之间的思念令我觉得有点怪怪的内疚；而且，还有面子问题——平时我总爱诋毁女人，所以，美代哪怕有一点引起我心烦意乱，我也不禁对自己生气。对弟弟自不待言，就是对这些朋友，关于美代我也是守口如瓶。

然而，就在那前后，我读了俄国作家的著名长篇小说[1]，思想就又有反复了。那是从一个女犯人的经历起笔写出的，她步入歧途的第一步是受到了她雇主侄子的诱惑，那侄子是个贵族青年，还是个大学生。我忘记了那本书的深意，而在两人于怒放的丁香花下初吻那页夹上了我的叶脉书签。我这人又不能站在旁观立场来读一部优秀的小说。我极为强烈地感到，那两人与我和美代何其相似乃尔。我想，如我现在脸皮厚点，就能跟那贵族一模一样。想到这，我的胆怯病却又让我感到希望渺茫，觉得这种心胸狭隘致使我的过去过于平庸无奇，自己禁不住想成为人生璀璨夺目的蒙难者。

我最先向弟弟坦率说出这件事，是在一个夜晚睡下以后说的。我本打算用严肃的态度来说，但那样一想，摆出的架势反而成了障碍，结果却忘乎所以了。我又是抚摸脖筋，又是揉搓两手，说得很不文雅。我的性格是不那样做就达不到目的，对此我感到悲哀。弟弟微微地舔着下唇，连身也不翻地听着，然

1　据判断，该作品应指俄国著名作家列夫·托尔斯泰（1828—1910）的长篇小说《复活》。

后难以说出口似的问道："你是要结婚的吗？"不知为什么我愣住了，故意泄气地回答说："行不行呢？"弟弟却意外地用大人的口吻委婉地说了"恐怕不可能"的意思的话。听到这话，我才发现我的真实态度，我勃然大怒、暴跳如雷，咆哮了一通。我从被窝里钻出半个身子，放低声音强硬地断言："所以要斗争！要斗争！"弟弟在花洋布的被窝里蜷曲着身体似乎要说什么，但窥视着我轻轻地微笑了。我也笑起来，对弟弟说了句"走上社会嘛！"，并向弟弟伸出了手，弟弟也不好意思地从被窝里伸出右手。我一面低声地笑着，一面将弟弟那无力的手指摇晃了两三次。

然而，让朋友们认可我的决心倒是没怎么煞费苦心。朋友们一面听着我说，一面做出一副苦思冥想的表情，我知道那只是为了在听完我的话后，强化表示同意的效果。事实上，也确如我所料。

四年级时的一个暑假，我带着这两个朋友回到了家乡。表面上是为了备考高中，实际上我是有心让他们见见美代，而硬把他们拉来的。我默祷着家人不会给我的朋友差评。我哥哥们的朋友全是一方名门望族家的青年，故不会像我的朋友那样穿着只有两颗金纽扣的上衣[1]。

当时，里院的空房子里建有一个很大的鸡舍，我们只有整

1　日本的初、高中生一律穿制式校服，五颗金纽扣，中学生穿只有两颗金纽扣的上衣，表示仪表不整，邋里邋遢，不是好学生的意思。

个上午在那鸡舍旁养鸡仆人的小屋里学习。小屋外侧涂着色彩斑斓的白漆和绿漆，里面有二坪[1]大小的铺地板房间，整齐地摆着新涂了清漆的桌椅。东侧和北侧各有两扇宽敞的门，南侧也有可以开关的西式窗子，如把门窗打开，微风会直吹进来，把书页吹得哗啦哗啦作响。周围杂草一如从前的茂密，几十只黄色鸡雏时隐时现地在草丛中玩耍。

我们三人盼望着午饭时间的到来。我们关注的是哪个女佣来通知我们吃饭。如果来的不是美代，我们就又是啪啪地敲桌子，又是咂嘴起哄。美代一来，大家就鸦雀无声了。而美代一走，大家又齐声笑起来。一个晴天，弟弟也和我们一起在那里学习，到了中午时分，大家依惯例互相议论今天谁来。只有弟弟不参与这个话题，而是一面在窗边踱步，一面背英语单词。我们开各种玩笑，互相投掷书本，跺脚把地板弄得咚咚响。不一会儿，我就闹得有点过头了。我想让弟弟也加入其中，便轻轻地咬住嘴唇，瞪了他一眼说道："你从刚才就默不作声，你看你是不是也……" 这时弟弟尖叫了一声："不嘛！" 他大幅度地摆了摆右手。拿着的单词卡片啪地飞出去两三张。我大吃一惊，将视线移向别处。转瞬间，我做了一个困窘的判断：至少今天之内不能再提美代的事了。接着我又若无其事地笑得前仰后合。

---

1 「坪（つぼ）」，源于日本传统计量系统尺贯法的面积单位，1坪等于6平方尺，约等于3.3平方米；2坪大致相当于6.7平方米。

幸运得很，那天来通知吃饭的不是美代。通往正房的路上有种着豆子的旱田，旱田中间有条狭窄的小路，大家排成一列，我精神饱满地跟在后面欢蹦乱跳，顺手摘下豆秧上一片片圆圆的豆叶。

我压根就没想什么牺牲之类，只是很不愉快。白丁香花丛被溅上了烂泥巴，特别是恶作剧的人还是其骨肉亲人，那就更加让人厌恶。

接下来的两三天，我思绪万千，苦闷不已。美代不是也有从院里走过的时候吗？她对我跟她的握手几乎感到困惑。总之，是不是我自作多情了？对我来说，再没有比自作多情更大的耻辱了。

还是那个时段，糟心事连续发生。一天午饭时，我和弟弟、朋友们一起围在饭桌前，美代在旁边用一个带红色猴头的团扇给我们打扇来服侍我们。我悄悄用那团扇的风量多寡来衡量美代的心。美代给弟弟扇的风比给我的多，绝望的我啪的一声把叉子放入装有炸猪排的盘子里。

我认定是大家合伙欺负我。我胡乱地怀疑即便是朋友们也肯定早知就里。我暗自下定决心把美代忘掉算了。

又过了两三天的一个早晨，我把前一天晚上抽烟的烟盒忘在枕边就去养鸡仆人小屋了，烟盒里还剩有五六支香烟。等我发觉，狼狈不堪地回到卧室一看，房间收拾得干干净净，香烟盒已经不见了。我知道完蛋了，便招呼美代斥问她："香烟的事怎么个结果？露馅了吧？”美代一脸正经地摇了摇头，并立刻钻到房间立柱上端的横梁后把手伸进去，从里面拿出了绿色的小纸盒，上面印着两只飞翔着的金蝙蝠。

这件事让我找回了百倍以上的勇气，以前的决心重新复苏了。然而，一想到弟弟，仍然是感到内心添堵；因美代的缘故，我也避免和朋友们一起玩闹；此外还动辄便对弟弟客气地谦卑起来。我决定暂不主动诱惑美代，而是等着美代向我表白。要说给美代的机会，那是要多少有多少。我屡屡将美代叫到屋里，吩咐她做没必要做的工作。而美代进入我的房间时，我还摆出某种疏忽大意、随随便便的样子。为了打动美代的心，我对自己的脸也在意起来。当时，我脸上的青春痘已基本好了，尽管如此，由于习惯，我还总捯饬自己的脸。我有一个带小镜子的银质化妆盒，很精美，盖子上满满地雕刻着弯弯曲曲的长长青藤，我不时地用它来补妆，而当时就更加上心了。

我想，下面就取决于美代的决心了。然而，机会却不肯轻易来临。在小屋学习时，我也不时地跑回正房去看美代。我悄悄地咬着嘴唇，几次三番地望着美代，她几乎有点粗暴地用扫把扫地。

不久，暑假终于结束了，我和弟弟、朋友们不得不离开故乡。我昼思夜想，想在美代心里留下哪怕一点点的回忆，使她至少到下一个假期为止不要把我忘掉，但这个也没有办到。

出发的日子到了。我们都坐进了家里的黑篷马车，美代也和家人们排列在玄关送我们出门。美代既没有看我，也没有看我弟弟。她两手像捻念珠一样，一面捻着解下束衣袖的黄绿色和服带，一面只是看着地下。知道马车就要走了，她还是那个姿势。我就这样怀着偌大的未了心事离开了故乡。

到了秋天，我带着弟弟，从那个城市坐火车来到花半小时即可到达的海岸温泉疗养地。我母亲和病后初愈的四姐在那里租了个房间做温泉疗养。我一直在那里起居，继续进行备考高中的学习。我为了秀才这个进退维谷的名誉，无论如何也要从中学四年考入高中[1]给大伙瞧瞧。

我的厌学到那时已变本加厉了，但似乎被某种东西追赶一般，尽管厌学，仍然一心一意地努力。我每天从那里坐火车上学。每逢星期天，朋友们过来玩，我们就当已将美代忘掉。我和朋友们必定去远足。躺在海岸平坦的岩石上，吃肉火锅，喝葡萄酒。弟弟嗓音好听，又会唱很多新歌，我们就让他教我们，然后齐声歌唱。玩累了就在岩石上睡一小觉。当睡醒一看，由于涨潮，理应与陆地相连的那块大岩石不知何时成了孤岛，我们感觉好像还没有从梦中醒来似的。

我和朋友们一日不见就如隔三秋，感到寂寞难耐。当时发

1 即所谓“四修”，昭和初期小学六年、初中五年、高中三年毕业即可投考国立大学。但有一种制度规定，小学可在五年内修完即投考初中，称“五年修了”（简称“五修”）；初中可以在四年内修了即投考高中，简称“四修”。“五修”“四修”显然表示该生成绩优秀。本篇小说带有一定的自传性质，太宰本人确实是以“四修”考上了“弘前高等学校文科甲类”。

生了一个事件，就是在一个秋风很猛烈的日子里，我在学校被老师重重地殴打了双颊。受到那种责罚是因为我极偶然的讲义气行为，故而我的朋友们愤怒了。那天放学后，全体四年生在博物教室集合，大家协商要将那个老师驱逐出校。也有学生高喊“罢课！”“罢课！”，我狼狈不堪。我四处央求学生们说：“要是因我一个人而罢课的话，那就请不要干！我不恨那位老师，事情很简单，很简单！”朋友们说我胆小任性。我感到气闷，走出了教室。回到温泉的住处后，我马上下到温泉浴池中。被大风狂吹得一塌糊涂的两三片芭蕉叶从那院子角落将绿影投射到水池中。我坐在浴池边缘陷入了沉思，没有一丝活气。

我有个毛病，就是当羞耻的回忆袭来时，为了将其驱走，我便自言自语地说“那么就……”，自言自语地说“很简单！”“很简单！”来想象自己四处徘徊的姿态，然后用手掌捧起水就将其漏掉，再捧起水再将其漏掉，重复这一动作，并嘴里多次说：“那么就……”

次日，那个老师向我们道了歉，其结果是既没罢课，我和朋友们也言归于好，不过这次灾难让我变得心情沉重，不断忆起美代，最后还不禁想到，如不能和美代见面，自己可能会就此沉沦下去了。

正好由于母亲和四姐她们温泉治病结束要回家了，出发那天正巧是星期六，我便以送母亲她们为由，得以返回故乡，我是瞒着朋友们悄悄走的。回乡的真实原因也没对弟弟说。我想，即便我不说他也明白。

大家撤离温泉地，先到一直关照我家的和服店暂时歇歇脚，然后就和母亲、四姐三人一起奔向故乡。火车离开月台时，来送别的弟弟通过火车车窗露出他那富士山形状的青色额头，说了一句："加油！"我糊里糊涂地真心接受了，开心地点点头说："好的好的！"

马车过了邻村，离家渐渐近了，这时我心里完全是七上八下。天黑了，天空和山峦都已漆黑一片。我侧耳倾听稻田被秋风吹拂发出的沙拉沙拉的响动，心潮澎湃，不断将视线投向车窗外的黑暗中。道旁一片白茫茫的芒草猛然浮现在鼻尖下，惊得我身子往后一倒。

在大门口昏暗的灯光下，家里人成群结队出来迎接。马车停下时，美代也啪嗒啪嗒地跑着从玄关里出来了，她很冷的样子，把肩膀缩得溜圆。

当天夜里，我在二楼一个房间睡下后，内心十分怅惘，也就是受凡俗观念所折磨。自从心里有了美代以后，我最后难道不是成了个大傻瓜了吗？想女人之事人皆有之，然而，我的思念不一样。一言难尽，但总之就是不一样。我的思念在所有意义上来说都并非低俗。但思念女人的人不都是那样吗？然而，我一面为自己所吸的香烟所呛，一面还在倔强地认为：我的思念里有思想！

当夜，我想到了在与美代结婚这件事上，必然不可避免地要和家人论争，不禁获得了冷峻的勇气。我确信，我的所有行为肯定都是超凡脱俗，我乃这个世上相当重要的要素。尽管如此，我仍然感到极为落寞，不知这落寞从何而来。因实在难以入睡，我将美代从脑中驱走后，就进行了那种按摩。我不想也不能亵渎美代。

清晨一醒看到天空晴好，秋高气爽。我早早起来到对面的田里摘葡萄，并让美代拿个大篮子跟我来了。因为我是用随便的口气那样吩咐美代的，所以，没有被任何人怀疑。葡萄架在田地的东南角，有十坪大小。等葡萄熟了的时候，四周便用苇帘紧紧围起，我俩打开角落一端的小门钻到围子里。里面暖烘烘的，几只黄色的长脚蜂嗡嗡地飞着。朝阳透过屋顶的葡萄秧叶子和周围的苇帘明晃晃地射进来，美代的整个身体看起来都成了淡绿色。来这里的路上，我曾五花八门地计划，也做了像坏蛋般歪着嘴巴微笑的动作，但像这样真的到了只剩孤男寡女时，由于过于尴尬，我几乎不痛快起来了，我甚至故意将那个小门一直敞开着。

因为我个子高，不需要垫什么东西就能用整枝剪咔嚓咔嚓地摘下葡萄串，并将其一一递给美代。美代飞快地用白围裙擦去一串串葡萄上的晨露，然后放到下面的篮子里。我俩一言不发，感觉沉默了很长时间。不久，我渐渐有点来气了。葡萄勉强快装满一筐时，美代猛地缩回了伸来接葡萄的那只手。我把葡萄推向美代，并喊了一声“喂！”，咂了一下嘴。

美代用左手紧紧地握住右手腕部憋着劲。我问她：“被刺伤了？”她“啊！”了一声，好像感到刺眼似的眯缝着眼睛。“笨蛋！”我说了她一句，美代默默地笑了。我已经不能再在那里待下去，嘴里说着“给你上药！”，人已经从围子里飞奔出来，我马上把她带到正房，从账房的药架子上为她找到了氨水。只是尽量粗暴地将紫色玻璃瓶交给美代，并不想为她涂药。

那天下午，我坐上公共汽车，颠簸着离开了故乡，那汽车是最近新开通的，蒙着灰色的车篷十分寒酸。家人们让坐马车去，但家里的马车带有家徽，车厢又黑又油光发亮，有点大老爷派头，我是不愿意的。我将和美代两人一起摘下的一筐葡萄放在膝盖上，意味深长地眺望着铺满落叶的乡间道路，我很满足。我想，为让美代铭记于心，即便只有那种程度的回忆，我也已是使尽浑身解数了。我放心了，认为美代已肯定是我的了。

那年寒假是初中期间的最后一个假期。随着回乡日子的临近，我和弟弟互相感到有了几分尴尬。

终于一同回到故乡的家，我们首先相对盘腿坐在厨房的石制地炉旁，然后怯生生地环视家中，不见美代。我俩不安的眼神两三次相碰。那天晚饭后，我们被二哥邀请去了他的房间，三人把腿伸进被炉下玩扑克。对我来说，无论哪张扑克牌看起来都只是漆黑一片。因为有个什么能接下去的话头，我就一狠心问了二哥。我一面用手里的五六张扑克牌遮脸，一面心无杂念地说了一句“女佣好像少了一个嘛”。我在心里打定主意，如果二哥刨根问底，所幸有弟弟在场，我就打算把事情说个明白。

二哥拿着手中的牌，一面几番歪头思量、举棋不定，不知出什么牌好，一面自语:“美代么？美代和老奶奶吵架回家去了。那丫头是个犟性子啊!”说着，啪地甩出一张牌。我也扔出一张，弟弟也默默地扔出一张。

接下来又过了四五天，我到鸡舍的养鸡仆人小屋去，从喜欢看小说的青年嘴里听到了更详细的原委，那青年就是那鸡舍小屋的养鸡仆人。据他说，美代被一个男仆奸污了的事情被其他女佣知晓，便无法再在我家待下去了。说是那男仆此外还干了各种坏事，所以当时已被逐出我家。但青年有点太饶舌，还添加了那个汉子吹牛的话，说是事后美代跟汉子说的悄悄话是:“不要！不要!”

新年过完，寒假也接近尾声时，我和弟弟二人进了书库，赏玩各式各样的藏书和装裱好的书画。从高高的亮窗看得见外面瑞雪纷飞。从父亲那一代到了大哥这一代，从各个房间的装潢到这样的藏书和书画都急速地变化，我每次回乡都饶有兴致地观览。我展开了似乎是大哥新近买来的一幅画卷观赏，那画画的是棣棠花在水中的落英。弟弟将一个装照片的大盒子搬到我的身旁，一面不时地往冰冷的手指尖哈出白气，一面不停地翻看那几百张照片。过了一会儿，弟弟展开一张衬纸还很新的四寸照片拿给了我。一瞧，那好像是美代不久前陪母亲去姑母家串门，当时和姑母三人照的。母亲独自坐在低矮的沙发上，姑母和美代差不多高，并排着站在其后。背景是蔷薇花怒放的花园。我和弟弟互相把头贴近，目光许久没离开那张照片。我在心中早已跟弟弟和解，加之又一直磨磨蹭蹭没有对弟弟言明美代出事，所以，我能够沉着冷静地来观赏那张照片。拍摄时美代好像动了，其面部到胸部的轮廓都模糊不清。姑母将双手交叉放在和服带上，看样子阳光太强有点晃眼。我觉得她俩长得很像。

《海豹》，昭和八年（1933）四、六、七月号

小丑之花

过了这里，便是悲哀之城。[1]

朋友都离开我，用悲天悯人的目光远望着我。朋友啊！和我谈谈吧！笑话我吧！唉，朋友徒然地将脸转向一旁。朋友啊！来向我发问吧！我将把一切和盘托出！是我亲手将阿园沉入水中，我以恶魔的傲慢祈望，即使我死而复生而阿园定要命染黄泉。要不要我再说点什么？唉！可朋友只是用悲悯的眼神远望着我。

大庭叶藏坐在床上，望着大海。海面上烟雨朦胧。

我从梦中醒来，反复重读这几行，为其丑陋和下作甚至想将其删除。哎呀呀，夸张过头。头一桩，所谓大庭叶藏算怎么回事？并非酒醉，我是为更加强烈的东西所陶醉而为这位大庭叶藏鼓掌。这个姓名和我的主人公契合，大庭象征着主人公那非凡的气魄，并将其表露无余；而叶藏又有几分

1　此句为但丁《神曲》第三首中的“地狱之门”上的铭文之一。

新鲜，令人感到从其古色古香的深处涌出一种真正的新鲜感。而且，大庭叶藏四个字排列起来十分协调，令人觉得畅快。从这姓名来看，就已经具有划时代性，这位大庭叶藏坐在床上眺望着烟雨朦胧的大海，这场景难道不是愈加划时代了吗？

就此打住吧！嘲笑自我是一种卑劣行为，这似乎源于受挫的自尊心。因为眼下，即便是我也不想被人议论，所以首先往自己身上打钉子。这，就是胆怯，必须更加直率，啊！谦卑。

大庭叶藏。

被嘲笑也是无奈。东施效颦。你看穿了别人，人家也看穿了你。虽然可能还有更好的姓名，但对我来说似乎有点麻烦。索性就以“我”做主人公也未尝不可，但今春我刚写了以“我”为主人公的小说，连续两次就有点羞愧。如果我明天猝死了，未必没有怪异的汉子出来说，那小子要是不用“我”做主人公就写不了小说。真的，仅此理由，我就还用大庭叶藏，将此做法贯彻始终。可笑吗？非也，彼此彼此。

一九二九年十二月末，这家名叫青松园的海滨疗养院，由于叶藏的入院而发生了一场小小骚动。青松园里有三十六名肺结核患者。两名重症患者和十一名轻症患者，剩下的二十三名则是处于恢复期的患者。收容叶藏的东一号楼说来即所谓的特级病区，被分隔成六个病房。叶藏所住病房的两邻都是空屋，最西边的六号病房[1]住着一位高个头、高鼻梁的大学生；东边的一号病房和二号病房分别住着一位青年女子。三人均为恢复期患者。前一天夜里，在袂浦[2]发生了殉情事件。本是一起投水，男方却被捕鱼返航的渔船所救捡了一条性命；但女方的遗体还没有找到。为搜寻那女子的遗体敲响了警钟，村里的消防员们接二连三地将渔船开进海里，三位患者心惊肉跳地听了一夜他们的号子声。渔船上点起的红色灯火整夜都在江之岛沿岸徘徊。那一夜，大学生和两位青年女子都彻夜未眠。破晓时分，女方的遗体在袂浦岸边被发现。剪短的头发闪闪发亮，面部苍白而肿胀。

叶藏知晓阿园死了，他是在渔船摇摇晃晃将自己运回来之时即知晓了的。他在星空下醒过来时最先问道："女子死了吗？"一名渔夫答道："没死，没死，你甭担心就是了！"是一种带有几分特别悲天悯人的口气。他迷迷糊糊地想，她死了吧？随后又晕了过去。待到他重新醒来时，已经身在疗养院中了。白色板壁的小小房间里挤满了人。其中有人详细问询叶藏的身份，叶藏一一清楚地回答。天亮后，叶藏被移到更大一点的房间。那是因为叶藏家里被告知出事后，就叶藏的善后问题急忙往青

1　此处原病房序号用的是日文伊吕波（イロハ）的顺序，为便于中国读者理解，书中全部改为汉语一二三……的序号，对此本篇后文中不再加注。

2　日本镰仓海岸一地名。"袂"本意为和服袖兜，"浦"本意为"海湾"，因此处地形似和服袖兜而得名。太宰治确于袂浦发生过殉情事件，获救后被送往附近的结核疗养院（现为"惠风园胃肠病院"），但时间并非小说中所写的"1929年12月"，而应是1930年11月。

松园打来了长途电话。叶藏的家乡离这里有近八百公里之遥。

东一号楼的三名患者对这位新患者睡到自己的近邻感到一种奇怪的满足，对即日开始的住院生活满怀着期待，在天空和大海都已大亮时分，才总算睡着了。

叶藏没有睡着。他时而缓慢地摇晃着脑袋，脸上到处都敷着纱布，那是身体被海浪抛来抛去，受到各处礁石的擦碰给弄伤的。一位名叫真野、二十岁上下的护士单独陪护他，她左眼皮上有一块较深的伤痕，所以，比起右眼，左眼显得有点大，但绝不难看。红唇微微上翘，脸色浅黑。她坐在床边椅子上眺望着阴云笼罩下的海面，尽力不去看叶藏的脸，她是感到可怜，不忍目睹。

时近正午，两位警察来看望叶藏，真野离席出去了。

两位都是身穿西装的绅士。一位留着短短的胡须，一位戴着铁边眼镜。留胡须的压低声音问了叶藏和阿园之间的来龙去脉，叶藏据实作答，留胡须的将其记到小本子里。问了一通之后，留胡须的压低身体贴近床说："女子死了呀！你也想死来着？"

叶藏沉默不语。

戴铁边眼镜的刑警厚肉的额头上鼓起两三条皱纹，一面微笑一面拍拍留胡须的警察肩膀："算了，算了！怪可怜的，改日再说吧！"

留胡须的从正面盯着叶藏的眼神，怏怏地把小本子收入上衣衣袋里。

那些警察走后，真野急忙回到叶藏的病房。但打开门的一刹那，她看到了正在呜咽的叶藏，便轻轻地关上门，在走廊站了许久。

到午后，下起雨来了。叶藏精神有所恢复，都能独自走去厕所了。

朋友飞驒连淋雨的外套也没脱就跑进病房里来了，叶藏佯装睡着了。

飞驒轻声问真野："没事了吗？"

"嗯，已经没事了。"

"吓了我一大跳啊！"

他弯腰脱下了自己带着土腥味、油渍麻花的外衣递给了真野。

飞驒是个无名雕刻家，和同样无名的西洋画家叶藏是自初中时代以来的朋友。心地诚实的人年轻时都想将自己身边的某个人当成自己的偶像，飞驒也不例外。从进初中开始，他对这个班里的第一名学生就一直充满神往的目光，第一名就是叶藏。对飞驒来说，叶藏课堂上的一颦一笑都非同寻常。再者，他在校园砂丘后发现叶藏大人般孤独的身姿后，曾暗暗发出深深的叹息。啊！还有那天与叶藏首次谈话的喜悦。飞驒任何事都模仿叶藏，吸香烟，嘲笑老师，连双手交叉放在脑后，摇摇晃晃地在校园里徘徊的走法都学了过来。这是因为他知道了艺术家之所以最了不起的原因所在。叶藏进了美术学校；飞驒虽然晚了一年，仍然得以进入了叶藏所在的同一所美术学校。叶藏学习西洋画，而飞驒有意地选择了雕塑专业。虽然说是因为感动于罗丹的巴尔扎克塑像，但那却是他并无杂念的胡诌，为的是给他成大师时在经历里加一点像样的由头。其真实原因是出于对叶藏西洋画专业的回避。到了那时，两人的人生道路才终于开始分道扬镳。叶藏的身体日益消瘦，而飞驒却一点点肥胖起来。两人的差距还不仅如此。叶藏醉心于某种简单明了的哲学而蔑视起艺术来了；飞驒呢，又有点过于得意忘形，嘴里不离“艺术”二字，甚至令听者都感到尴尬。他经常是梦想着能拿出杰作，然而却懒于学习。就这样，两人都以很差的成绩从美术学校毕业了。叶藏几乎都丢弃画笔了，他每每扬言：绘画只配充当海报，这让飞驒十分气馁。叶藏的一些高论口气很不靠谱，他说什么“所有的艺术都是社会经济结构所放的屁，不过是生活的一种形式而已；无论怎样的杰作也都等同于袜子……”这让飞驒如堕五里雾中。飞驒一如既往地喜欢叶藏，对叶藏的思想也抱有一种漠然的敬畏感，不过对飞驒来说，向往杰作的激动是压倒一切的。他想着：不久，不久就会拿出杰作，但却只是心神不定地鼓捣着黏土。也就是说，这二位与其说是艺术家，莫如说是艺术品。不，可能正因为如此，我也能这样不费力气地讲述。倘若见到市场上真正的艺术家，我敢打包票，我这书恐怕诸位读不到三行就会呕吐吧！对了，朋友，你不写一写那种小说吗？怎么样？

飞驿也不忍直视叶藏的脸，他蹑手蹑脚，尽量轻巧地走近叶藏的枕边，只是凝视着玻璃窗外的雨势。

叶藏睁开眼微微一笑对他搭话："吃了一惊吧？"

飞驿吃惊地扫了一眼叶藏的脸，不过马上又垂下眼答道："嗯。"

"怎么知道的？"

飞驿犹豫了。他把右手从裤兜里抽出，一面抚摸自己的大宽脸，一面用眼神悄然问询真野是否可以说。真野一本正经地微微摇了摇头。

"上报纸了吗？"

"嗯。"其实他是从收音机广播里听到的。

叶藏对飞驿这种不阴不阳的态度有点怨恨，他认为不妨更坦率些，他怨恨这个有着十年交情的朋友，只过了一夜就来个一百八十度的大转弯，将自己当异国人对待。叶藏再次佯装睡着了。

飞驿无事可干，便用拖鞋啪嗒啪嗒地敲打地板，他在叶藏枕边站立好久。

门无声地开了，身穿制服的小个子大学生突然露出那俊朗的面庞。飞驿一发现他便松了一口气，以至于感叹地哼了一声。他一面歪起嘴角驱散将要出现在脸上的笑容，一面故意以从容的步子向门口走去。

"刚到？"

“是的。”小菅一面介意着叶藏这边，一面迫不及待地回答。

他就叫小菅，和叶藏是亲戚，在大学里专攻法学专业。尽管和叶藏有三岁之差，却是毫无隔阂的挚友。新青年似乎不太拘泥于年龄。他是放寒假回到故乡，听说了叶藏之事便立刻乘快车飞奔赶来的。两人出外到走廊里站着说话。

“你脸上有煤烟灰呀！”

飞驒放肆地哈哈大笑，指着小菅的鼻子下部，那个部位沾着薄薄一层火车的煤烟灰。

“是吗？”小菅慌忙从胸前衣袋里掏出手帕，马上擦了一下鼻子下部，“怎么样啊？情况如何呀？”

“你问的是大庭吗？似乎没事啦！”

“是这样啊！——擦掉了吗？”他使劲抬起鼻子的下部让飞驒看。

“擦掉了呀！擦掉了呀！家里，闹得够凶的吧？”

小菅一面将手帕塞进胸前衣袋，一面回答：“嗯，大混乱一场，就像一场葬礼呀！”

“家里来人了吗？”

“他哥哥要来，老爷子说：‘别管他！’”

“真是个大案子呀！”飞驒将一只手放在低低的额头上嘟囔了一句。

“小叶真的没事吗？”

“他倒是出人意料地满不在乎，那小子总是那样子的。”

小菅似乎有点兴奋，嘴角含着微笑，歪了歪头表示怀疑。

“不知他是个什么心情啊？”

“不得而知——你不见见大庭？”

“算了吧！即便见了，也无话可说；而且——我还害怕呢！”

两人低声笑了起来。

真野从病房里出来了。

“在屋里都听见了，你们尽量不要在这站着说话呀！”

“啊，没注意到这个。”

飞驒诚惶诚恐地将硕大的身躯拼命收缩，小菅则用奇怪的眼神望着真野的脸。

“你们两位，那什么，午饭吃了吗？”

“还没有呢！”两人同时回答。

真野红着脸忍不住笑了出来。

三人一起去了食堂后，叶藏起了床，就转而眺望烟雨朦胧的海面了。

“过了这里，便是烟雨朦胧的深渊。”[1]

接下来，就回到最初的起笔处了。说来，连自己也明知很

---

1 此句也是但丁《神曲》第三首中的“地狱之门”上的铭文之一，紧接在“过了这里，便是悲哀之城”之后。关于“地狱之门”的铭文，有种种译法，森鸥外的翻译是：「ここをすぎて うれへの市に ここすぎて 嘆きの淵に」。日本学者渡边浩史就太宰的引用发表论文《〈小丑之花〉的一个引用——关于引用但丁〈神曲〉中“地狱之门”铭文翻译的诸问题》（佛教大学大学院纪要，日本，2003，第103—111页。）

拙劣，不说别的，头一桩我就不喜欢这样在时间上要弄机关，虽然不喜欢还是尝试了。“过了这里，便是悲哀之城。”因为我想把这句平素念熟了的地狱之门的咏叹奉献给光荣的开头一行。别无理由。即便因为这一行导致我的小说失败，我也不想懦弱地删除它。我再自卖自夸地补充一句：删除这一行，就等于抹杀了我至今为止的生活。

“是思想呀！老兄，马克思主义呀！”

这句话傻乎乎的，好！小菅把它说出来了。他得意扬扬地说完，又重新端起了牛奶杯。

四面的板壁涂着白漆，东侧墙壁上高高悬挂着院长的肖像，院长胸前戴着三枚铜钱大小的勋章，肖像下面悄然摆着十张左右长条桌。食堂里空荡荡的，飞驒和小菅坐到东南角的桌旁吃了饭。

“干得相当猛呀！”小菅放低声音接着讲，“瘦骨嶙峋的身体那样四处奔波，也难免产生不想活的念头啊！”

“是行动队的头头吧，我知道。”飞驒嘴里反复咀嚼着面包，并插了一句。并非飞驒炫耀自己博学多才，左翼之类的用语当时的青年无人不晓。“不过——不仅是因为思想因素啊！艺术家并非那样简单呀！”

食堂里暗下来了，因为雨下大了。

小菅喝了一口牛奶后说：“你只是主观地思考问题，那是不行的。本来——我说的是本来呀！据说一个人的自杀里是潜藏着本人没意识到的重要客观原因的。他家里人全都认定他是因为女人，可我已经有言在先了，认为并非如此。女人不过是个同路人而已，还有别的原因。他家里的那些家伙并不了解，就连你也说些驴唇不对马嘴的话，要不得啊！”

飞驒盯着脚下火炉中燃烧着的火，自语道：“那女人，可是另有丈夫的呀！”

小菅放下奶杯答道：“我知道呀！那种事不算什么。对小叶来说，连个屁都不算。说什么因为女人有丈夫所以自杀，那也太天真了。”他说完，闭上一只眼，用另一只眼瞄准头上的肖像画，“这人就是这里的院长吗？”

“是吧？不过——真相，非大庭本人是不得而知的啊！”

“那倒是。”小菅轻快地表示了同意后，向四周东张西望了一下。

“真冷啊！你今天要住在这里吗？”

飞驒急忙咽下面包点点头：“要住下。”

青年们总是不认真议论，最大限度地留神千万不要伤害对方的神经，同时又对自己的神经倍加珍惜，百般庇护，不想受到无谓的屈辱。而且，一旦有所伤害，则一定要钻牛角尖，闹到不是他死就是我亡。故而他们讨厌争论。他们了解很多敷衍搪塞、蒙混过关的词语，就连一个“否”字，都能轻而易举地分别用十种左右的说法说给你听。议论还没有开始，就已经交换着妥协的眼神了。而最后，虽然笑着握手，心里却一同在这样自语：这个蠢货！

那么，我的小说也似乎渐渐模糊起来了。到这里笔锋一转，要不要来几个全景式镜头？不要说大话，让你做什么都是笨得要死。啊！但愿一切顺利！

次晨，天气晴好，大海风平浪静，大岛诸岛[1]上的火山喷烟白茫茫地在水平线上升起。不好，我是讨厌写景的。

一号病房的患者一睁眼睛，病房里便充满了小阳春般的阳光。与陪床护士互道早安，马上量体温，三十六度四。接着去晒台进行饭前日光浴。在护士轻轻捅她腰提醒之前，她已偷偷看了一眼四号病房。昨天的新患者规整地穿着藏青地碎白花纹的夹衣，坐在藤椅上眺望着大海，他似乎怕晃眼似的皱着浓眉，令人觉得脸孔也并非长得英俊。他不时地用手背轻轻地拍打脸上的纱布，躺在日光浴用的床上，微微睁开双眼仅看到那些后，便让护士把书给取来。《包法利夫人》。平素他读这本书感到无聊，读五六页便扔到一边，但今天却想认真阅读。他觉得现在读这本书实在合适。哗啦哗啦翻篇，从一百页那处开始读起来，挑出很好的一行："爱玛想在夜半火把光下出嫁。"

二号病房的患者也醒了。她来到晒台日光浴。猛地发现叶

1 这里指伊豆诸岛中最大的火山岛，其中央有三原山，曾于1986年火山爆发，平常有火山喷烟。

藏的身姿，便又跑回病房。她感到一种无名恐怖，马上钻进被窝里了。陪床的母亲笑着给她盖上了毛毯，她把毛毯蒙在头上，在那小小的黑暗空间中双眼放光，侧耳谛听着相邻病房的说话声。

“好像是个美女呀！”接着，悄然的笑声传了过来。

原来飞驒和小菅住了下来，两人是在相邻的一间空病房里的一张床上睡的。小菅先醒来，他不大情愿地睁开他那细长的眼睛来到晒台，斜眼扫了一眼叶藏那有点装模作样的姿态后，旋即把头转向左边，去寻找叶藏采取那种姿势的源头。一位年轻女子在最边上的晒台读着书。女子卧床的背景是长着苔藓的湿润石墙。小菅西洋式地耸了耸肩头，立马回屋摇醒了正在熟睡的飞驒：

“起来！有好戏！”他们喜欢捏造情况，“小叶在大摆姿势！”

他们的会话中屡次使用“大”这个形容词。或许因为他们在这无聊的世道，需要某种可期待的对象吧。

飞驒吃惊地跳起来：“什么情况？”

小菅笑着告诉他：“有个少女，小叶对人家摆出最拿手的侧脸姿势呢！”

飞驒也来劲了，跟着闹哄起来，他夸张地使劲扬起双眉问道：“是美女吗？”

“好像是个美女呀！在假装读书。”

飞驒忍不住笑起来。他就那么坐在床上穿上夹克又穿上裤子后喊道："好嘞！咱们整治他一下！"但其实他无意整治，只是背后的坏话而已，背后他们甚至满不在乎地说好友的坏话，一任当场的氛围。"大庭那家伙，全世界的女人他都想得到。"

过了一会儿，叶藏的病房里发出哄笑声，响彻全楼。一号病房的患者啪的一声合上书本，纳闷地往叶藏的晒台那边望了一眼。晒台上已空无一人，只剩下朝日照耀下闪闪发光的一把白色藤椅了。她盯着那把藤椅，迷迷糊糊地打着瞌睡。二号病房的患者听到笑声后猛然从毛毯中露出脸来，与站在枕边的母亲交换了一下恬静的微笑。六号病房的大学生被笑声惊醒，他没人陪床，过着寄宿公寓[1]式的悠闲生活。察觉到笑声来自昨天来的新患者病房后，他那青黑色的脸泛出一抹红晕。他并不觉得笑声是不检点，出于恢复期患者特有的宽容之心，反倒因叶藏看似挺有精神而感到放心。

我难道不是个三流作家吗？似乎过于陶醉了，试图搞什么全景式那种不符身份的事情，最后还如此沾沾自喜。不，请等一等！我已预见到或许会有这样的失败，事先准备好一句话：人，以美好的感情创作出丑恶的文学。就是说，我之所以陶醉过度，是因为我的心还没有达到恶魔的程度。啊！让想出这句话的男子得到幸运吧！这是一句多么宝贵的话呀！然而，对这

---

1 原文作「下宿屋（げしゅくや）」。指寄宿在别人家中的房间里，由人家家里供膳食。

句话，作家一生中只能用一次，似乎真的是这样。用一次，动人；如果你二次三次地反复使用，以这句话作挡箭牌，那你的下场似乎会很惨。

"失败喽！"

小菅与飞驒并排坐在床旁沙发上，他下了上述的结论，然后依次看看飞驒的脸、叶藏的脸，还有倚门而立的真野的脸，看到大家都在笑以后，满意地将头疲惫无力地搭在飞驒滚圆的右肩头。他们常常发笑，即便是一点芝麻绿豆小事也会捧腹大笑。对青年们来说，做出笑脸与出气一样容易。他们从何时养成这种习惯的呢？不笑吃亏，任何可笑的对象，哪怕再细微也不要漏掉！哦，这不正是贪婪的美食主义虚幻之一斑吗？然而，可悲的是他们的笑无法发自心底，虽然笑得前仰后合，却很在意自己的姿态。他们又经常引人发笑，甚至不惜伤害自身也要让人发笑。这总归是源于那种虚无之心，不过，是不是还可以推知其内心深处有着某种钻牛角尖的决心呢？牺牲品之魂，带有几分敷衍而又无固定目的的牺牲品之魂。他们偶尔能做出漂亮行动，即便用以前的道德观来衡量也可谓美谈。他们之所以能这样，全是因为这个隐秘的灵魂。这些是我的专断，而非书斋里的探索，全是从我自己的肉身里听来的思想。

叶藏还在笑着，坐在床上摇晃着双腿，一面介意着脸上的纱布，一面笑着。小菅的话有那么可笑吗？他们热衷于什么样的故事呢？在此插入几行作为一例。说的是小菅本次假期到某著名温泉滑雪场去滑雪，在那里的旅店住了一夜，那里距他家乡的城市将近十二公里。深夜上厕所途中，他在走廊曾与同旅店内的一位年轻女子擦肩而过，仅此而已。然而，这，就是个大事件。在小菅看来，尽管是区区的擦肩而过，如果不给那女子一个非比寻常的好印象，他是不甘心的。虽然也没有指望想怎么样，但在擦肩而过的瞬间，他拼命摆姿态。对人生他认真地抱有某种期待。在那个瞬间，他展开想象的翅膀，设想出与该女子所有的浪漫经过而感到肝肠寸断。那种令人窒息的瞬间，他们至少每天要经历一次，故而不能大意。即便独处时，也要修饰打扮一番自己的形象。说是小菅甚至在深夜上厕所时，也要穿上自己新买的蓝色风衣。小菅在与那年轻女子擦肩而过之后，深感自己该行动的正确，觉得穿风衣出来太对了。他轻松地叹了口气，往走廊尽头的大镜子里一瞧，才发现砸锅了。原来那风衣下面明晃晃地露出穿着脏兮兮短棉毛裤的两条腿。

“啊呀呀！”就连他自己也轻轻笑着说道，“棉毛裤裤腿被撸到上面，露出了黑乎乎的腿毛呢！而且还是刚睡醒那种肿胀不堪的脸。”

叶藏内心并没有那般笑，他油然感到小菅的故事疑似胡编乱造的。尽管如此，他还是为朋友大声地笑了。朋友与昨天判若两人，试图打消隔阂，叶藏的笑也包含着对小菅那种心思还礼的因素，所以，为了小菅而笑得更加厉害。因为叶藏笑了，飞驒和真野都笑了，觉得小菅的笑话奏效了。

飞驒放心了，觉得可以毫无顾忌地放开说话了。本来他是觉得还远远不到时候，故而一直磨磨蹭蹭地拖时间来着。

来了劲的小菅反而轻易地一句点出要害：

“我们呀，碰到女人问题就要失败的呀！即便小叶，不也是一样吗？”

叶藏还笑着，但歪头表示怀疑：

“是不是这样的啊？”

“是啊！不要去死嘛！”

“那算失败吗？”

飞驒兴高采烈，心情激动：微笑间，最坚硬的石墙总算打碎了。这种奇怪的成功也拜小菅不懂礼貌之品德所赐，想到这他甚至产生一种冲动，想要紧紧拥抱一下这位年少的朋友。

飞驒欢快地扬起稀疏的眉头，结结巴巴地说：

“我觉得失败与否不能用一句话来下结论。”说完就觉得，这话说得糟糕！

小菅旋即来“救驾”：“这我明白，我已和飞驒讨论半天啦！我认为是思想上陷入僵局所导致的呀！而飞驒，这小子煞有介事地说什么另有原因。”飞驒间不容发地反驳道：“虽然说得也是，但不仅如此。就是说，相互钟情了呗！根本不可能和讨厌的女人一起去死吧？”

飞驒是出于不想被叶藏做任何臆测的心理，匆忙中对用词没加选择说的，但这话即便在自己听来也显得天真无邪。他暗中松了口气，觉得这话说得太漂亮了。

叶藏垂下长长的睫毛。虚伪、倨傲、懒惰、阿谀、狡诈、缺德之渊薮、疲劳、愤怒、杀意、自私自利、脆弱、欺瞒、病毒，这些一齐撼动着他的心。他想，要不要干脆一吐为快？但却故意沮丧地自语道：

“其实，我也不明白呀！感觉什么都是原因。”

“知道，知道。”没等叶藏说完，小菅点头说道，“那种情况也是有的。喂，护士不在了嘛！说不定是我们让她变机灵了。”

我已经有言在先了，他们的议论与其说是交换思想，莫如说是为了使此时此地的氛围调整得更为舒适而做的，没有任何实话。然而听了一会儿，也有意外的收获。在他们装模作样的语言中，时而也能听得出正直的弦外之音，让你吃惊。唯有不经意间流露出的言语才包含着疑似真实的东西。叶藏刚刚自言自语说出“什么都是”，这难道不正是他不小心吐露的真心话吗？在他们心中，只有混沌，还有原因不明的逆反，或者仅仅是自尊心也未可知，而且是被打磨得纤细敏锐的自尊心。不管遇到多么小的微风，都会为之颤抖；一旦认定自己受到了侮辱，便烦恼纠结声言要去死。也难怪叶藏被人问起自杀原因时感到困惑——“什么都是”。

那天过午，叶藏的哥哥到了青松园。哥哥的长相不似叶藏，胖乎乎的很有派头，身穿裤裙。

由院长引导来到叶藏病房前时，听到了室内爽朗的笑声。他哥哥故作不知地问道：

"是这间吗？"

"嗯。已经没事了。"院长一面这样回答，一面开了门。

小菅吃惊地从床上跳下来，因为刚才是他代替叶藏躺在床上的；叶藏和飞驒并排坐在沙发上玩扑克来着，他俩都急忙站了起来；真野本来是坐在叶藏病床枕边的椅子上编织毛线，她也不好意思地收起了毛线工具。

"朋友来了，所以很热闹。"院长一面转头对哥哥耳语，一面走到叶藏身旁，"已经没问题了吧？"

"嗯。"叶藏这样回答完，突然觉得自己很惨。

院长的眼睛在镜片后面笑着。

"怎么样？要不要过一下疗养生活呀？"

叶藏头一次感到一种罪犯的自卑感。他只是用微笑来应对。

其时，哥哥还周到地向真野和飞驒鞠躬致谢："承蒙关照啦！"然后又一脸正经地问小菅："听说昨夜你是在这里睡的？"

"是。"小菅挠着头皮说，"因为相邻的病房空着，所以就和飞驒君两人一起住在这里了。"

"那今晚开始来客栈吧！我在江之岛订了客栈。飞驒君，请你也一起过去吧！"

"是。"飞驒的回答变得拘谨起来，不知如何处理手中的三张扑克牌。

哥哥若无其事地转向叶藏问道：

“叶藏，已经没问题了？”

“嗯。”叶藏露出极不痛快的神情点点头。

哥哥骤然话多起来：

“飞驒君，现在咱们陪院长先生一起去吃个午饭吧！我还没有观光过江之岛呢！请求院长先生给导游一下，马上出发吧！汽车在外面等着呢，又碰上了好天气。”

我很后悔。只因让两个大人出场，便搞得一塌糊涂。叶藏、小菅和飞驒，还有我四人出马好不容易搞得气氛热烈，弄出别开生面的氛围，只因两个大人的掺和便变得干瘪乏味、惨不忍睹了。我本来是想把这个小说的氛围搞得浪漫些的，祈望在开头几页制造出让人眼花缭乱的混乱氛围，然后再一点点悠然地将其解开，以笔法拙劣为口实好歹才行文至此。然而，土崩瓦解了。

请原谅！我扯谎了，装糊涂了，全是我故意为之。只不过是我在写的过程中对其浪漫的氛围很感羞愧而故意破坏的。如果真的土崩瓦解了，那反而正中我下怀。低级趣味，事到如今让我心力交瘁的就是这句话。如果那样称呼无端地试图威压人的执拗嗜好，或许我的这种态度也是一种低级趣味吧。我不想输，不想被人看穿我的内心。但那些努力恐怕也是徒劳。啊！作家难道都是这样的吗？连坦白也需要咬文嚼字。我不是人吧？不知我能不能过得了真正人类的生活？我一面这样写，一面介意着我的文章。

一切都将暴露无遗，说真的，我在描写这篇小说的每一个场面之间，让我这样一个汉子登场来说上一段不说也可的话，是有着狡诈的考虑的。我是想，不让读者察觉到这一点，而用那个“我”来暗中赋予该作品特殊韵味。我很自负地认为这在日本是空前的时髦技法。然而，我失败了。不，我原本该是把坦白失败这件事也已列入该篇小说的写作计划中了。如果可能，我准备稍后来说明这个问题，不，我感觉就连这句话我也是从开头就准备好了的。唉，已经不要相信我了！我说的话一句也不要相信！

我为什么要写小说呢？是需要新秀作家的荣誉吗？抑或是需要钱？不要耍花招如实回答！我的回答是两者都要，而且极其想要。啊！我还在扯着明明白白的谎话，而这谎话人们不小心就会上钩。这在谎话中也是最卑劣的。我为什么写小说？这话说得真是令我为难。无奈，尽管故弄玄虚似乎令人生厌，但我还是姑且回答一句吧，那就是“复仇”二字。

进入下面的描写吧！我是市场的艺术家而不是艺术品。如我那令人讨厌的坦白也能给我的小说带来某种韵味的话，那就是意料之外的幸运了。

叶藏和真野被留了下来。叶藏钻进被窝眨巴眼睛想着心事；真野坐在沙发上收拾扑克牌，她将扑克牌装入紫色的纸盒中后说道：

"这就是令兄啊？"

"啊。"叶藏眼睛盯着高高的白色天棚答道，"长得像吗？"

作家如果失去了对所写对象的爱，便会立竿见影地写出这种蹩脚文章。不，不说了吧，是相当怪异的文章呀！

"嗯，鼻子长得像。"

叶藏出声地笑了。叶藏的家人都长得像祖母，鼻子长。

"令兄贵庚呀？"真野也笑了一下，那样问道。

"你问的是我哥吗？"他将脸转向真野，"还年轻着呢！三十四，爱摆臭架子，自我感觉极为良好。"

真野不经意仰望一下叶藏的脸，只见他在皱着眉头说话，便连忙垂下了眼帘。

"我哥对我这样还算可以，老爷子——"叶藏说了半句话后打住了，他稳重起来，在替我协调。

真野站起来，到病房角落的架上拿毛线工具，然后又依旧坐到叶藏枕边的椅子上，开始编织毛线。真野也再次思考，思考着既不是思想也不是恋爱，而是比那些更深层的原因。

我已经什么都不想说了，越说越等于没说。我感觉我还没有触及真正重大的事体，这是理所当然的。说漏了很多问题，这也是理所当然的。作家不了解其作品的价值是小说技法的常识，虽然感到懊丧，但也必须承认这一点。期待自己作品产生效果的我就是个笨蛋，尤其是不应将其效果说出口。在说出口的瞬间就产生了完全变味的效果。在估计可能是这种效果的瞬间，又蹦出新的效果，我在重复着这一愚蠢的行动，那就是必须永远一味地追赶它。至于是劣品还是上乘之作，我连这也不想知道。恐怕我的这篇小说会产生我意想不到的特大价值。这些话是我从别人那里听来的，并不是从我的肉身沁出的语言。故而，我又想依赖它。说穿了，我已丧失信心。

开灯以后，小菅独自回到病房来了。一进屋就贴近叶藏的脸耳语：

“刚才喝了酒啦！别对真野说啊！”

接着，使劲朝叶藏脸上吐了一口气。喝了酒是禁止出入病房的。

小菅用眼睛的余光扫了一眼坐在后面沙发上编织毛线的真野后，喊道：“观光江之岛来着！太好啦！”然后又马上小声耳语：

“谎话呀！”

叶藏起来坐到床上。

“刚才，大家光是喝酒来着吗？不，没关系呀！真野小姐，可以吧？”

真野没有停下手上的毛线活，笑着回答：“好倒是不大好。”

小菅仰面朝天躺到床上：

“和院长四人商量了，你小子啊，令兄真是一位谋士啊！意料之外的干将呀！”

叶藏沉默不语。

“明天令兄和飞驒去警局，说是一切统统搞定！飞驒真是个混蛋，居然兴奋得很。飞驒今天要睡在那边呀！我呢，不愿意，所以回来了。”

“我哥说我的坏话了吧？”

“嗯，说了呀！说你是个大混蛋！说不知以后还会干出什么事来。不过，又补充说老爷子也不怎么样。真野小姐，我们可以吸烟吗？”

“嗯。”真野因热泪就要夺目而出，所以就只回答了一个字。

“能听到波涛声啊！——真是一所好医院啊！”小菅嘴里叼着没点着火的香烟，醉汉般地一面喘着粗气，一面闭眼良久。过了一会儿，他猛地抬起上身：“对了，拿来衣服了，放在那里啦！”说着朝门的方向扬起下巴。

叶藏的视线落到放于门旁的大包袱上，还是皱了皱眉头，大包袱皮上带有蔓草花纹。他们谈到亲人时，会露出几分伤感的表情，但这只不过是习惯而已，只是自幼所受的教育为他们打造出这个表情。说起亲人，似乎同样会想起财物这个词汇。“真是拗不过老娘。”

“嗯，令兄也这样说。说是令堂大人最可怜。这不，连衣服都为我们想到啦！真的，我说！——真野小姐，有火柴吗？”从真野手里接过火柴，鼓着脸端详画在火柴盒上的马脸。“听说你现在穿的衣服还是跟院长借的，是吧？”

“这件吗？对呀！是院长儿子的衣服。——我老哥此外还说了些别的吧？我的坏话。”

“你不要闹别扭啦！”他将香烟点着了火，“令兄的思想观念还是比较时尚的呀！是理解你的。不，或许不是那样？他装出一副操劳的模样啊。大家谈论你这次事情的原因，当时啊，他则是哈哈大笑呢！”小菅吐了个烟圈。“据令兄推断呀！这是叶藏放荡不羁把钱花光的缘故。他是正儿八经说的呀！抑或是作为令兄也难以启齿，说你一定是得上了什么脏病变得破罐子破摔了吧。”小菅那因喝酒而变得蒙眬浑浊的醉眼朝向了叶藏。“怎么样？啊呀，意外吧？这档子事。”

大家商量说今夜在这里睡的是小菅一个人，就不必特意借用邻近病房了，小菅也决定在同一病房睡。小菅和叶藏并排在沙发上睡了。裹着绿色天鹅绒的沙发里面有个装置，尽管很怪异，但可以变床，真野每晚就是在那上面睡的。今晚那床被小菅侵占了，她就从事务室借来薄席子铺在房间的西北角，那里正好相当于叶藏的脚下。然后真野又用不知从哪里找来的两折屏风围起了这个朴实无华的睡铺。

“警惕性不低嘛！”小菅躺着看到陈旧的屏风独自窃笑。

"上面画着秋季七草[1]呢。"

真野把叶藏头顶上的电灯用包袱皮包起来弄暗，对两人道了晚安便猫到屏风背后了。

叶藏难以入睡。

"好冷啊！"他在床上辗转反侧。

"嗯。"小菅也噘着嘴随声附和，"我的酒醒了！"

真野轻轻地咳了一声。"要不要盖点什么？"

叶藏闭着眼睛答道：

"问我呀？不用。我是睡不着，浪声刺耳。"

小菅很可怜叶藏，那完全是成人之间的感情。固然是不言而喻的，但他可怜的并非此地的叶藏，而是与叶藏处于同样身世时的自己，抑或是该身世的一般抽象概念。成人都被那种感情训练有素，所以能轻而易举地对人抱以同情，而且对自己的轻弹眼泪有着一种自负，青年们又经常沉醉于那种廉价的感情之中。如果说成人首先将那种训练善意地说成是同自己生活的妥协中的得来之物，那么，青年们究竟从何处学到手的呢？难道是从这种无聊的小说里？

"真野小姐，你说点什么给我们听听吧！没有有趣的故事吗？"

出于让叶藏转换心情的一种多管闲事的心理，小菅向真野

1　指日本秋季的七种花草：胡枝子、芒草、蔓草、红瞿麦、女萝、贯叶泽兰、桔梗。

大撒其娇。

“哎呀！”真野从屏风里笑着回应道。

“骇人听闻的故事也行啊！”他们总是想浑身颤抖想得心痒难耐。

真野似乎若有所思，半天没有搭茬。

“这可是个秘密呀！”真野先来个开场白，然后低声地笑了出来，“是鬼怪故事呀！小菅先生，行吗？”

“一定要听！一定要听！”

说是真野刚当护士，十九岁那年夏天的事，也是因为女人而试图自杀的青年被发现，收容到某医院，正好由真野担任陪护。患者是服用药物了，浑身布满紫癜，没有救活的希望。傍晚，他苏醒了一次。此时，患者看到很多顺着窗边石墙玩耍的小小海滨蟹，感叹道：“真漂亮啊！”因为那一带的小螃蟹活着时蟹壳就是红的。“我病好了捕捉一些带回家去。”说完就又晕过去了。当夜，患者在脸盆里吐了两脸盆之后死去了。在其家人从故乡赶来之前，病房里只有真野和该青年的遗体。她坚持了一小时左右，一直坐在病房一角的椅子上，听到后面发出一个微弱的声音。她一动不动，声音又传来了。而且这次更清晰，好似脚步声。她狠心一回头，身后有一只红色小螃蟹。真野凝视着它，哭起来了。

“真奇怪啊！真的有螃蟹呢。活蟹。我呢，当时就想不再干护士了。我一个人就是不工作，在家里也能过上好日子，跟父亲那样一说，反被大大地笑话了一通——小菅先生，怎么样？”

“很棒啊！”小菅故意欢闹地喊道，“你讲的那所医院是？”

真野并不回答，窸窸窣窣地翻了个身，自言自语地说：

“我呀，大庭先生进来时，我本想拒绝医院的召唤呢！因为害怕呀！不过过来一看，放心了。这样有精神，开头就说如厕能自理。”

“不是，问你医院的事呢！你讲的是这家医院吗？”

真野隔了一会儿回答道：

“这里。就是这里呀！不过，这个请保密，事关信誉。”

叶藏发出睡得迷迷糊糊的声音：“不会是这间病房吧？”

“不是。”

“未必。”小菅也鹦鹉学舌地说，“不会是昨晚我们睡的病床吧？”

真野笑了起来：“不是，没问题呀！你们这样介意的话，我不讲就好了。”

“是一号病房。”小菅轻轻抬起头，“从窗户能看得见石墙的，除了那间之外就没别的病房了。一号病房。我说，是少女的病房呀！天可怜见。”

“别闹了，休息吧！是我扯谎，胡编的呀！”

叶藏在思考别的事，他在思考阿园的灵魂，他脑中描绘出她的倩影。叶藏每每如此干脆。对他们来说，神这个字眼是无所谓的，只不过就是个给蠢蛋的混杂着揶揄和好意的代名词罢了，但那或许是他们离神太近的缘故。如果那样轻率地触碰所谓“神的问题”，诸位一定会用浅薄、随意来非难我吧。啊！请原谅！再低劣的作家也都想让自己作品的主人公悄然接近神的，因此我要说，唯有他才像神，像让宠爱之鸟猫头鹰飞翔在黄昏的天空，然后悄然笑望的智慧女神密涅瓦[1]。

次晨，从早开始疗养院便人声嘈杂。下雪了。疗养院前院一千棵左右低矮的海滨松树全都被雪覆盖，不仅是那下行的三十几级石阶，就连其相连的海滨沙滩都薄薄地积了一层雪。雪下下停停地一直下到中午。

叶藏俯卧在床上素描着雪景，他让真野买来铅笔和木炭纸[2]，是从雪全停时分开始工作的。

病房因雪的反射显得很亮堂。小菅胡乱地躺着看杂志，时而伸头看一下叶藏的画。他对艺术这东西感到一种漠然的敬畏，那是源于对叶藏个人的信赖而产生的感情。小菅自幼就认识叶藏了，他觉得叶藏有些与众不同，在一起玩耍的过程中，他武断地认定叶藏的怪异源于其头脑聪明。小菅从年少时

1　密涅瓦（Minerva）：罗马神话中主管智慧、战争、工艺、学业的女神，对应古希腊神话中的雅典娜女神。栖落在密涅瓦身边的猫头鹰是思想和理性的象征。她的猫头鹰在黄昏起飞就可以看见整个白天所发生的一切，可以追寻其他鸟儿在白天自由翱翔的足迹。黑格尔用“密涅瓦的猫头鹰在黄昏中起飞”来比喻哲学。

2　画木炭画所用的比较粗糙的纸。

就喜欢时髦、说谎很在行、好色而又残忍的叶藏，尤其喜爱学生时代的叶藏在说老师坏话时火辣辣的眼睛。不过，小菅的喜爱和飞驒之类的人不同，他抱的是观赏的态度。就是说，他很聪明。可以跟去的地方他就跟去，等到变得荒唐起来时便抽身出来旁观。这就是小菅比叶藏、飞驒更新潮的某些地方吧？如果说小菅对艺术哪怕有些许敬畏，那也和他穿那件蓝色风衣来修饰自己仪表的意义完全相同，是出于试图对这永昼般的人生期待点什么的心理。像叶藏那样的男子挥汗如雨创作出来的东西，一定非同寻常。他只是肤浅地那样想。在这一点上，他还是信任叶藏的。不过，他经常失望。此时此刻小菅就一面偷看叶藏的画，一面感到失望而泄劲。画在木炭纸上的只是大海和岛屿的景色，而且是普普通通的大海和岛屿。

小菅对叶藏的画不抱希望了，他沉醉在杂志的故事里。病房里鸦雀无声。

真野不在，她在盥洗室清洗叶藏的毛织衬衣。叶藏是穿着这件衣服跳海的，衣服还微微渗沁出海腥味。

到了下午，飞驒从警局回来了。他劲头十足地打开了病房的门：

“嗬！”他看到叶藏在素描，小题大做地喊道，“干上了！好啊！艺术家工作起来还是有两把刷子的！”

他这样说着走近病床，隔着叶藏的肩头看画。叶藏慌忙地将那木炭纸对折后再对折，一面折一面不好意思地说：

“不行啦！一搁置太久不画，就力不从心啦！”

飞驒没脱去外衣便坐到床上。

“或许是的，因为你急躁。不过，这已经可以了呀！醉心艺术嘛！哦，我是这样认为的。——那你究竟画的是哪种东西呀？”

叶藏以手托腮，用下颚指了指玻璃窗外的景色：

“画了大海。天空和大海漆黑一片，唯独岛屿是白色的。画着画着感到不愉快便停手了。头一桩，画的立意就显得外行啊。”

“不是很好吗！伟大的艺术家身上全都带有某种外行的味道，那样就行了呀！起初外行，然后变成内行，然后又成为外行。我又要抬出罗丹[1]了，那家伙就是个盯住外行妙处的汉子，不，倒也不是那样？”

“我不想画画了。”叶藏将叠好的木炭纸揣进怀里，压住飞驒的话头说，“画嘛，不痛不痒的，不行；雕刻也是那样啊！”

飞驒用手挠了挠长发，轻而易举地表示赞成：“你那种心情我也懂。”

“可能的话，我想写诗，诗是抱诚守真的。”

“嗯。诗也很好。”

“不过，是不是也还是无聊呀？”他是想把一切都视为

1 奥古斯特·罗丹（Auguste Rodin，1840—1917）：法国雕刻家，著名作品有《思想者》《手》等。

无聊。

“我最适合当赞助商。赚一大笔钱，集合很多像你飞弹这样的优秀艺术家，对你们加以宠爱。怎么样？又说什么艺术，有点不好意思了。”仍然以手托腮，一面眺望着大海一面说完，静静地等待他们对自己发言的反应。

“不错嘛！我觉得那也是一种优越的生活。实际上，那样的人也不可或缺。”飞弹说着，有点游移。自己毫无任何反驳之言，显得实在像个帮闲，对此他很不满意。或许他的所谓艺术家的自豪感总算将他抬高到这一步，飞弹悄悄做好了准备，等待叶藏的下句话。

“警局那边怎样了呀？”

小菅冷不丁冒出了这么句话，他是在期待着一个模棱两可的答复。

飞弹的心神不定在这个话题里找到了发泄的出口。

“要起诉啊！叫个什么‘协助自杀罪’。”他说完之后有些后悔，觉得话说重了，连忙加一句：“不过，最终会给予缓期起诉的吧！”

本来胡乱躺在沙发上的小菅听到这话，猛然起身两手啪地拍了一声：“麻烦啦！”他试图以此来逗个乐子，缓解一下自己带来的尴尬，但没有成功。

叶藏使劲将身体扭过去，变成仰面朝天地躺着。

他们的态度过于悠然自得了，不像已害死了一个人——对此似乎感到愤怒的诸位，到这时才觉得痛快，大呼“活该!”了吧？然而，这却是残酷的，何来任何悠然自得可言？他们经常处于绝望的边缘，营造极其脆弱的小丑之花，使之免遭风吹雨打，倘若你能明白他们这种悲哀的话!

飞驒为刚才自己一句话的效果而感到惶恐不安，他隔着被子轻轻拍打叶藏的腿：

“没事的呀！没事的呀!”

小菅又胡乱躺到沙发上：

“协助自杀罪呀?”他仍然跟着笑闹，“真有那种法律吗?”

叶藏收回腿说道：

“有的。是一种徒刑，亏你还是个学法律的学生。”

飞驒悲戚地微笑了一下：

“没问题呀！令兄能摆平的呀！令兄在那方面的能力很有难能可贵之处，又相当热心啊!”

“精明强干。”小菅庄重地合上了眼睛，“或许不用担心啊！令兄是一位相当有韬略的谋士啊!”

“蠢蛋!”飞驒忍不住笑出来。

他从床上站起下来脱去外套，将其挂到门旁的钉子上。

“我听到了个好消息啊!”他跨过放在门附近的陶制圆形火盆说，“那个女人的配偶嘛，”他犹豫了一下后低垂眉眼接着说，“那人今天来警局了，和令兄二人谈了话呢！然后从令兄那里听来了当时的情况，我很受感动呀！说是钱，一分不要，只是想见见那个当事的男子，令兄拒绝了，以病人尚处于昂奋状态的理由拒绝了。于是，那人一脸遗憾地说：‘那么，就请代为向令弟致意，请他不要为我们的事介意，好好保重身体——’”他说到这里却忽然闭口不言了。

原来他是因自己的话而闹心起来了。叶藏哥哥的嘴角甚至明显地浮现出轻蔑的微笑把情况讲给他听，还说“这配偶衣着寒酸，很像个失业者”。飞驒是出于对叶藏哥哥一忍再忍的郁愤，讲得特别夸张而生动。

“可以让他见见我的，我哥真是多此一举！”叶藏注视着自己的右手掌。

飞驒高大的身躯摇晃了一下。

“可是——不见的好。还是就这样毫不相干为佳，那个人已经回东京啦！令兄把他送到公车站。听说令兄给了两百元奠仪，还请他写了今后互不相扰这样字据类的东西。”

“太能干啦！”小菅将薄薄的下唇向前一撇，“就给两百元呀！太厉害啦！”

飞驒那被炭火烤得油光闪亮的圆脸眉头紧锁。他们极端恐惧自身的陶醉被泼冷水，故而，对于对方的陶醉他们也给予认可，努力去迎合对方，那是他们之间的默契。小菅现在破坏了这一点，在小菅看来，他并不觉得飞驒有那么激动。他依然作为坊间闲话听入耳中——既对女人配偶的懦弱急其不争，又觉得叶藏哥哥乘人之危之狡猾也实在够可以的了。

飞驒踱了几步，来到叶藏的枕边，将鼻尖紧贴在窗玻璃上眺望阴云密布天空下的大海。

“是那人伟大，而不是因为令兄能干啊。我觉得不会有那种事。是那人伟大啊！是看破红尘之心产生的美。今早火葬了，听说他是抱着骨灰盒独自回去的，在火车里的身影还不时浮现在眼前呢！”

小菅总算会意了，他马上轻轻叹了一口气：“真是一段美谈呀！”

“美谈吧？佳话吧？”飞驒将脸旋即转向小菅，他情绪恢复了，“我接触到这种事情，感到了活着的喜悦呀！”

我一狠心露出脸来，否则，我就无法继续写下去了。这篇小说充满混乱，我自身都没有站稳，不知如何处理叶藏，如何处理小菅，如何处理飞驒。他们对我笨拙的笔急不可耐而天马行空。我呢，死死抓住他们满是烂泥的鞋子高叫：“等一等！等一等！”如果不能在这里重整旗鼓，那不说别人，首先我自己就无法忍受。

本来，这篇小说就没意思，仅有姿态。这种小说写一页和写一百页都是一样。不过，对此我从开头就有思想准备。我抱着乐观的态度，心想写着写着总会出现个把合适的吧。我是个装腔作势的人，虽然如此，但就没有一点优点吗？我一方面对自说自话很来劲的臭文章感到绝望，另一方面又反复到处搜寻，看看是否能找到个把优点。在此期间我开始变得焦躁而僵硬，最后累得筋疲力尽。啊！写小说，最好以童心来写。人，以美好的感情写出丑恶的文学。这句话是多么荒唐！这句话里有着最大的灾祸。不陶醉其中，怎能写出什么小说！如果一句话、一篇文章都带着十种不同的意义反弹回作者自己的心中，那就必须折笔将小说丢弃。不管是叶藏也罢，飞驒也罢，小菅也罢，没必要那样悉数摆出装腔作势的模样给人看。反正老底都明摆着，放宽松点吧！放宽松点吧！万念皆空。

那一晚，夜相当深以后，叶藏的哥哥来到病房。叶藏和飞驒、小菅三人在玩扑克。按说昨天他哥首次来这里时他们也在玩扑克来着。然而，他们并不是一整天都在玩扑克。莫如说，他们是讨厌玩扑克的，不是到了相当无聊的程度，也不会拿出来。那些不能充分发挥自己个性的游戏，他们必然避开。喜欢变魔术，他们自己琢磨出各种各样的扑克牌魔术，而且，故意让别人看破其秘密，然后大笑；还有呢，一个人将一张扑克牌背面朝上扣起来，然后问道：来猜猜看，这是什么牌？黑桃Q，梅花J，大家各按所好别出心裁地胡编乱造，揭开看，从来没有猜对过。尽管如此，他们还是认为总有猜对的时候，而一旦猜对会多么愉快呀！就是说，他们讨厌要漫长等待的那种竞赛，撞大运，他们喜欢灵感瞬间闪现的那种比赛。所以，即便拿出扑克，玩的时间也不会超过十分钟。每天十分钟，如此短暂的时间居然被他哥哥碰上两次。

他哥哥进到病房，皱了一下眉头。哥哥一定是误认为他们整天在悠闲地玩扑克。人生中往往有这样的不幸。叶藏在美术学校时代也遭遇过同样的不幸。有一次法语课上他打了三次哈欠，在每个瞬间都和教授的视线相碰，确实只有三次。到第三次时，这位日本屈指可数的法文学者老教授忍不住大声说道："你在我的课上一味地打哈欠，一小时之内竟然打了一百次。"他感觉教授似乎实际数过他那过多的哈欠似的。

唉，看看万念皆空的结果吧！我没完没了地写着。必须重整旗鼓。我终究无论如何也不可能做到用童心来写作。那么，就从头来重新看看这究竟会成为一篇什么样的小说吧！

我在写海滨疗养院。这一带似乎风景相当宜人。加之，疗养院里的人都不是恶人。尤其是三位青年，啊！这是我们的英雄。是这个啊。深奥的大道理屁都不顶，我不过是在力挺此三人而已，好，就这样定了，硬是定了。免开尊口吧！

他哥哥向大家微微点头打了招呼，然后对飞驒耳语了几句什么，飞驒颔首，并向小菅和真野使了个眼色。

等三人走出病房后，哥哥说话了："电灯不太亮啊！"

"唔！这家医院不让用很亮的灯泡。你要不要坐下？"

叶藏先坐到刚才那沙发上说。

"唉！"哥哥没有坐，俨然很在意一般频频仰望一下昏暗的电灯泡，在狭窄的病房中来回踱步，"单是这边的事，算是解决了。”

“谢谢！”叶藏口中说道，并微微地点头致谢。

“我倒不认为是多大的事，不过，今后回到家里又要有麻烦了。”今天哥哥没有穿裤裙，黑色的和服外褂不知何故没有带子，“我也会尽力做，但你还是给老爷子好好写封信，适当认个错为佳。你们看样子倒是挺悠闲，不过这次可是个很麻烦的案子啊！”

叶藏没有回答。他拿起一张散落在沙发上的扑克牌，目不转睛地盯着看。

“如果不想发信，不发也可。后天你要去一趟警局，至今为止警局也是特意为我们延后了审讯。今天我和飞驒作为证人接受了调查，问了你平素的品行，我们答复说‘属于老实厚道类型’；又问思想上有没有什么可疑之点，我们说‘绝对没有’。”

哥哥停止了转圈踱步，横站在叶藏前面的火盆前，将两只大手伸到炭火上部。叶藏茫然地看着那两只大手在微微颤抖。

“也问了有关女人的情况，我回答一无所知。据说飞驒也被问了大致同样的问题，好像和我的回答相符合的呀！你呢，也照实说就行了。”

叶藏明白了哥哥话里的弦外之音，但他却佯装不知。

“不必要的话不必说，只是问什么就清楚地答什么。”

“要被起诉吗？”叶藏一面用右手食指转圈抚摸扑克牌的边

缘，一面低声自语。

“不知道，那个不知道。”哥哥用很重的语气说，“反正我估计你得在警局蹲四五天，你需要有个准备！后天早晨，我到这里来接你，一起去警局。”

哥哥将视线转移到炭火上，许久没有说话。听得到雪融滴水声混杂在涛声里。

“这次这个事件，作为一个案子，”哥哥猛然蹦出这么一句，接着又以若无其事的口气流畅地继续说下去，“你也得为长远的未来考虑考虑啦！家里也不是总有钱的，今年庄稼歉收很厉害呀，虽然告诉你也没什么用，不过，家里的银行现在也岌岌可危，闹得一塌糊涂呢！也许你会发笑，可是不管你是艺术家也罢，什么也罢，我觉得第一要义是得考虑生活。唉，但愿你今后能洗心革面，发愤图强。我呢，该回去了。飞驒和小菅都到我的旅馆睡为好。在这里每晚闹闹哄哄的，不太好。”

“我的朋友都不错吧？”

叶藏故意把后背朝向真野睡觉。从那个夜晚开始，真野又像原来那样睡沙发床了。

“嗯嗯——名叫小菅的那位，”真野静静地翻了个身，“真是一个有趣的人啊！”

“啊，那小子啊，他还年轻呀！比我小三岁，二十二岁。和我那死去的弟弟同岁。那小子光学我身上的坏毛病。飞驒不得了啊，已经能独立工作了呀！很踏实。”过了一会儿，他又小声补充道：“每当我干出这种事，他总是拼命照顾我。硬是来配合我和小菅的呀！别的事他都很厉害，唯独对我和小菅惴惴不安，要不得啊！”

真野没有回答。

“要不要给你讲一讲那个女人啊？”

叶藏仍旧后背朝着真野，尽可能慢吞吞地那样说道。叶藏有一种可悲的习惯，那就是感到有些发窘时，不知将其避免的方法，就会不顾一切地将窘迫坚持到底。

“是个无聊的故事呀！”真野还什么话都没说呢，他便率先开始了讲述。

“可能你从别人那里已经听说了吧？她名字叫阿园，在银座那一带的酒吧工作。说真的，我到那个酒吧只有三次，不，四次吧！因为飞骅和小菅都不认识这个女人，我也没告诉过他俩。”要不要打住啊？“无聊的故事呀！女人因为生活困苦而死去了。在她弥留之际，我们彼此心中所想好像完全不同。阿园跳海之前说什么您长得很像我家先生啊！她有同居的男人，说是两三年前还在小学教书来着。我怎么就想和那人一起死啊？还是因为喜欢吧？”他的话已经不可信任，他们讲自己为什么如此拙劣呢？“尽管如此，我还撒传单、参加游行示威，干着不符身份的事来着。滑稽，不过，很苦啊！只是被‘我乃先知先觉者’的一种光荣感所怂恿。我不配做那些，再怎么挣扎也只能走向崩溃。像我这样的或许不久就会沦为乞丐。因为如家里破产，我从当日就要发愁吃饭问题。我一无所能，哎呀，是个乞丐吧?”啊！越说越感到自己是个扯谎者，不老实。这是个很大的不幸！“我相信命运呀，不去胡乱挣扎。真的，我想画画，特别想画呀!”他使劲地挠着头笑了。“要是能画出好画，那该多好啊!”

说了，要是能画出好画，那该多好啊！而且，是笑着说的。青年们动真格就什么也说不出，尤其是真心话，要用笑来掩饰过去。

天亮了，天空万里无云。昨天的雪差不多全化了，只剩下松树下的背阴处和石阶的边边角角还分别残留一些变成深灰色的积雪。海上一片雾霭笼罩，从雾霭深处的四面八方传来渔船的引擎声。

院长早早就来叶藏的病房看望，他仔细检查了叶藏的身体后，眨巴着藏在眼镜片后面的小眼睛说道：

“大体上已经没事了吧。不过，还是要注意呀！警局那边我也会尽力美言，因为离真正恢复还差得远呢。真野小姐，脸上的橡皮膏可以取下了吧!”

真野马上剥下了叶藏的纱布，伤已经好了，结的痂也脱落了，只是呈现出粉白色的斑点。

“说这种话虽然有些失礼，不过希望你今后真正地用功学习。”

院长这样说完，难为情一般地将眼睛转向了大海。

叶藏也感到了某种羞愧，没有下床，默默地将脱下的衣服又重新穿起来。

这时，门随着大笑声开了，飞驒和小菅风风火火地跑进病房，大家互道早安。院长也向两人寒暄，然后结结巴巴地搭话说：

“就剩今天一天了，真有点恋恋不舍呀！”

院长离开后，小菅率先开口：

“八面玲珑啊！面皮简直就像章鱼。”他们对人的脸感兴趣，试图用人的脸来决定该人的全部价值。“食堂里挂着他的画像啊！戴着勋章呢！”

“那是劣作呀。”

飞驒那样说完，便去晒台了。今天他借了叶藏哥哥的衣服穿，是厚实的茶色料子。他一面介意着领口是否端正，一面坐在晒台的椅子上。

“这样看来，飞驒也有大家风范啦！”小菅也来到晒台。

“小叶，不玩扑克吗？”

将椅子搬到晒台，三人开始了莫名其妙的游戏。

玩到一半，小菅认真地自语了一句：

“飞驒有点装腔作势啊！”

“混蛋！你才是！什么玩意？瞧你那手势！”

三人咻咻地笑起来，并一齐悄悄偷看邻近的晒台。一号病房患者和二号病房患者都躺在日光浴用的床上，为三人的样子而羞红了脸笑着。

“真是个大失败，已经被人家发现了嘛！”

小菅嘴巴张得很大，向叶藏使了个眼色，三人尽情地出声，笑得前仰后合。他们屡屡扮演这样的小丑。“不玩扑克吗？”小菅话音刚落，叶藏和飞驒都早已意会潜藏的意图，他们清楚地明白到落幕为止的大致内容。他们一发现天然的美丽舞台布景，不知何故总是想做戏，那也许是一种纪念意义。眼下，舞台的背景是早晨的大海。然而，这时的笑声却催生出了就连他们也意想不到的大事件。那就是真野受到了该疗养院护士长的训斥。笑声发出不过五分钟，真野便被叫到护士长房间，受到了相当严厉的训斥，让她肃静一些。真野一脸要哭出来的样子跑出那房间，跑到已停止玩扑克正在病房无所事事的三人那里，告诉了他们这件事。

三人沮丧至极，一时间只剩下面面相觑的份了。现实的呼声和嘲弄粉碎了他们得意忘形的表演，命令他们：停止！这甚至可能是致命性的。

“不，这没什么。”真野反而鼓励了他们，“这栋楼里没有一个重病患者，而且，昨天也是，二号病房患者的母亲在走廊碰上我时，还说了‘热闹很好’，表现得很高兴呢！还说了‘每天我们听你们说话一个劲被逗笑’呢。很好呀！没关系的呀！”

“不，”小菅从沙发上站起身来，“不太好呀！因为我们才害得你丢脸。护士长那娘们，为什么不直接和我们说？把她叫来！既然那样讨厌我们，我们可以马上出院，随时出院！”

三人都在这瞬间真的打定了出院的主意。特别是叶藏，思路已遐想到四人乘汽车沿海滨逃之夭夭的轻松姿态了。

飞驒也从沙发上站起来，笑着说：“要不就干吧？是不是干脆大家一起杀到护士长那里去吧？居然训斥我们，真是个混蛋！”

“出院吧！”小菅轻轻地踢了一下门，“如此吝啬的医院没意思啦！训斥倒也罢了，但训斥前的态度太烦人，肯定把我们想成不良少年，看成头脑愚笨、小资情调、举止轻浮的一般时髦小子啦！”

他说完比刚才更重地踢了门一脚，然后，忍不住笑了出来。

叶藏咚的一声躺倒在床：“那么，我这样的，归根结底也就类似于皮肤苍白的恋爱至上主义者了。已经不行了。”

他们因为受到这种野蛮人的侮辱依然义愤填膺，然而，他们又怅然反思，试图将其适当地变成一种逗乐。他们总是这样。

可是，真野很直率。她将两臂放在背后，靠在门旁墙壁上，使劲噘着上唇说：

“是呀！太过分啦！就在昨晚，她还招呼很多护士到护士长室玩骨牌大肆吵闹来着呢！”

“对！过了十二点她们还吵吵嚷嚷呢！真有点混账啊。”

叶藏一面这样自言自语，一面拾起散落在枕边的木炭纸，仰面朝天躺着开始涂写起来。

“自己行为不检，所以就不能理解别人的长处。听说护士长是院长的小老婆呢！”

“原来这样！真是别有一功。”小菅很高兴。他们似乎把别人的丑闻看成美德，且觉得很可信。“戴勋章的有小老婆呀？别有一功呀！”

“真的，难道她不理解你们几个每每说些无恶意的话取乐玩吗？不必介意，还是拼命大闹的好。当然没关系！就剩今天一天了，说真的，谁都是从没挨过训斥的好人家出身却被……”她一只手捂脸突然低声哭泣起来，一面哭一面打开门。

“到护士长那里去也没用啊！别去了！不是什么大不了的事。”飞驒阻拦她悄悄说道。

她双手覆面，连续点了两三次头后，走出病房到了走廊。

“主持正义者。”真野出去后，小菅默默地笑着在沙发上坐下说，“哭鼻子了，被自己的话冲昏头脑啦！平素虽然说话唠嗑挺成熟，但毕竟是女人啊！”

“很怪呀！”飞驒在狭窄的病房里兜着圈子走，“从一开始我就觉得她很怪啊！有点反常啊！居然要哭着跑出去，我大吃一惊啊！不会到护士长那里去吧？”

“不会的呀！”叶藏装出若无其事的样子回答道，然后将他涂写的木炭纸往小菅那边扔去。

“护士长的肖像画吗？”小菅捧腹大笑。

“喂喂！”飞驒也站立着把脸凑近来看画，“女妖怪嘛！真是杰作啊！这画，像吗？”

“一模一样。跟着院长来过这间病房一次，画得真好啊！把铅笔借我一下！”

小菅跟叶藏借了铅笔，在木炭纸上添加内容：“这里让她长两只角，就更像了。要不要把它挂到护士长室的门上？”

“到外面散步去吧！”叶藏从床上下来伸了个懒腰，悄声自语道，“讽刺漫画大师。”

讽刺漫画大师。我也渐渐厌烦了。这不是通俗小说吗？它对动辄就要僵硬的我的神经也罢，对恐怕也属同类的诸位的神经也罢，但愿有些许消毒的意义——怀着这种想法着手写出的一幕，但这个多半过于天真了。我的小说如果成为古典——呀，说不定我发疯了——诸位可能反而要将我的这种解释视为障碍。随意揣测就连作家的思路都不及之处，大肆叫嚷其成为杰作的理由吧。啊！作古的大作家是幸福的。幸存的愚笨作者为了让自己的作品得到哪怕多一人的喜爱，汗流浃背地加上全是预测落空的注释，最终写出还过得去的、全是注释的烦人劣作。我没有撒手不管说一句“随你便！”那种强者精神，当不了优秀作家，还是个天真幼稚的人，是的。这是一大发现，我是彻头彻尾的天真幼稚的人。正是在天真幼稚中，我才得以片刻的休憩。啊！已经无所谓了。别管我啦！什么小丑之花，也多半在这里枯萎了，而且是下贱丑陋肮脏地枯萎了。憧憬完美，劝诱你写杰作。“够了，奇迹的创造者，你这小子！”

真野偷偷溜到盥洗室，她想哭个痛快。然而，她没能做到那样地哭。她瞄了一眼镜子里，擦擦眼泪整整头发，然后去食堂吃已经很晚了的早餐。

食堂门口附近的桌子旁，六号病房的大学生面前摆着喝光了汤的盘子，独自百无聊赖地坐着。

看见真野，他微微一笑：“你的患者精神不错嘛！”

真野站住紧紧抓着桌边答道：

“嗯，净说一些天真幼稚的话，在逗我们笑呢！”

“那很好。听说是个画家？”

“嗯。经常说要画出上等的画呢！”说了半句话耳根就红了，“很认真呀！较真，因为较真，所以，也就会产生苦恼啊。”

“是的，是的。”大学生也红了脸，从内心表示同意。

大学生定了最近就要出院，所以愈加有宽容精神了。

这种天真怎么样？诸位难道讨厌这样的女人吗？混账！嘲笑我守旧吧！啊！就连休息，对我来说都早已成了羞愧之事。甚至对一个女人，我都不能不加注释地去爱她。愚笨的男人就连休息都出错。

“在那儿啊！就是那块岩石呀！”

叶藏指着梨树枯枝间隐约可见的一块很大的扁平岩石说。岩石的凹槽里还残留着昨天下的雪。

“就是从那儿跳下的。”叶藏滑稽地将眼睛瞪得溜圆说道。

小菅没吭声，他在思忖叶藏内心是否真的在若无其事地讲述。叶藏呢，虽然也并非若无其事地在说，但他有着能将事情自自然然说出的本事。

“咱们回去吧?”飞驒用双手飞快地将和服下摆掖到和服带里。

三人从海边沙地往回走，海面风平浪静，在正午太阳的照射下泛着白光。

叶藏往海里抛了个石块。

“就能松口气啊！现在跳进去的话，就已经什么都不是问题了。债务，学院，故乡，后悔，杰作，羞耻；还有朋友，森林，鲜花，一切都无所谓了。当发觉那些时，我已经在那块岩石上笑了。就能松口气啊！”

小菅试图掩饰住昂奋，胡乱地拾着贝壳。

“你不要诱惑人！”飞驒勉强地笑起来，“真是不良嗜好。”

叶藏也笑起来。三人的脚步声唰唰作响，舒服地传入大家耳中。

“别生气呀！刚才的话有点夸张啊。”叶藏和飞弹擦肩而走，“但是，唯独这个事千真万确。那女人啊，你猜她跳海之前喃喃自语说了什么？”

小菅狡黠地眯缝着充满好奇的眼睛，故意和那两人拉开距离走着。

“那话还在我的耳中萦绕，她说的是：‘真想说说乡下的土话呀！’女人的家乡是在南部的边远之处啊！”

“不行！对我来说，有点好得过分。”

“真的，我说！是真的呀！哈哈，仅仅就是这样一个女人而已。”

大型渔船被拖到海边沙滩上休整，旁边放着两个直径有七八尺长的精美鱼篓。小菅将拾到的贝壳竭尽全力地抛向那渔船的黑色船帮。

三人困窘得几乎要窒息。如果这个沉默再持续一分钟，说不定他们会干脆轻松地投身大海。

小菅猛然喊道：

“快看！快看！”他指着前方的岸边，“一号患者和二号患者！”

两位姑娘撑着不合时宜的白色遮阳伞，正向这边缓缓走来。

“一大发现啊！”叶藏也有死而复生的感觉。

“要不要上去搭话呀？”小菅抬起一只脚抖落鞋上的沙

子，凑近叶藏看着他的脸，一副但等一声令下便要飞奔过去的架势。

“算了，算了！”飞驒板起面孔按住了小菅的肩膀。

阳伞停住了。交谈了一会儿，然后来了个向后转，将后背朝向他们又静静地走了起来。

“要不要追过去呀？”这回叶藏闹哄起来了。他扫了一眼飞驒低着的脸。“算啦！”

飞驒深感落寞，现在他清楚地意识到自己枯萎的血正与这两个朋友渐行渐远。他想道：是不是生活上的原因呢？飞驒的生活是略微贫穷的。

“不过，多好啊！”小菅西洋式地耸了耸肩膀。他是在努力设法巧妙地掩饰此时此刻的尴尬。“她们是看见我们散步才勾起了散步的念头的呀。年轻人嘛！可怜啊！想入非非啦！哎呀，在拾贝壳呢！跟人学！”

飞驒转念微笑了一下，与叶藏那含着歉意的目光碰上了，二人都红了脸。明白，充满着相互体贴的心，他们疼爱弱势。

三人沐浴着微暖的海风，边眺望着远处的阳伞边走着。

真野正远远站在疗养院白楼下面，等待他们的归来。她凭靠着低矮的门柱，正把右手放在额头，手搭凉棚眯缝着眼睛。

最后的一夜，真野很兴奋。躺下后一直喋喋不休地讲她自己朴实的家人、优秀的祖先。随着夜深，叶藏沉默寡言起来，仍然后背朝着真野，一面心不在焉地回答，一面想着别的事。

过了一会儿，真野开始讲她眼睛上部的伤。

“我三岁的时候，”看样子她想若无其事地讲，但却失败了，声音卡在嗓子眼，“说是我打翻了油灯烫的。那时的我性格相当乖僻呀！上小学时这个伤痕比现在大得多。同学们管我叫‘萤火虫，萤火虫’。”讲到这里，她停顿了一下，“是那样叫我的。每当那种时候，我就想一定要报仇。嗯，我真的那样想的，想有朝一日成为了不起的人物呢！”她独自笑了起来。“好笑吧？我哪能成为了不起的人物呢！是不是戴个眼镜？戴眼镜的话，或许伤痕就能遮住一点。”

“算了吧！那样反倒更可笑。”叶藏好似生气了似的突然插嘴说。他或许也有着老式派头，对女人产生爱怜时，反而会变得冷冰冰的。“就这样别瞎弄就很好。不太显眼啊，你快睡吧，好不好？明天还要早起呢！”

真野不说话了。明天就要分别了。哦，原本就是路人，知道羞耻吧！知道羞耻吧！我要保持我的自尊。她又是咳嗽又是叹息，然后又扑通扑通地翻身。

叶藏佯装不知。心中正在思忖着什么，不能说。

比起那些，我们还是侧耳倾听波涛声和海鸥的鸣叫声吧！而后从头回想一下这四天的生活吧！也许自称现实主义者的人会说“这四天充斥着讽刺”。那么，我来回答吧！自己的书稿似乎在编辑的桌子上起的是茶壶垫的作用，烙上了大片黑乎乎的烙印后被退回这也是讽刺；追问自己妻子阴暗的过去喜忧参半也是讽刺；出入当铺却还要拢紧领口、注意仪表、不想让外人看出自己的落魄也是讽刺。我们自身过着讽刺的生活。如果你不能理解被那种现实挫败的男子汉勉强装出的傲慢态度，你我就永远是路人。既然是讽刺，那就需要是好的讽刺。真正的生活，唉，那还遥远得很呢！至少我要从从容容地眷恋这充满人情味的四天！仅仅四天的回忆，有的胜过五年十年；仅仅四天的回忆，啊，有的胜过一生。

听得见真野稳重的鼾声。叶藏无法忍受沸腾般的思绪。他想朝真野那边翻个身，当他扭转长长的身躯时，耳畔听到厉声的耳语：

停住！不要辜负萤火虫的信赖！

当天大亮的时候，两人已经起床。叶藏今天要出院的。我很害怕这一天的临近。那恐怕就是劣等作家的感伤吧。我一面写这篇小说，一面想救赎叶藏。不，我想请你们饶恕这只没能成功变为拜伦[1]的土狐狸。仅仅这一点是苦中的秘密祈祷。然而，随着这一天的临近，我感觉有一种比从前更加寂寥的氛围

1 乔治·戈登·拜伦（George Gordon Byron，1788—1824），英国十九世纪初期伟大的浪漫主义诗人，又是为理想战斗一生的勇士。曾流浪于欧洲各国，积极而勇敢地投身革命——希腊民族解放运动，并成为其领导人之一。代表作品有《恰尔德·哈洛尔德游记》《唐璜》等。太宰在《斜阳》中曾提到过拜伦：女主人公和子与一位女性左翼人士永久地友好分手时，对方曾快速背诵拜伦的诗并拥抱和子。

再次向叶藏、向我静静地袭来了。这篇小说是个失败，既没有任何飞跃，也没有任何解脱。我似乎过于拘泥形式了，为此这篇小说甚至沦为低级下流之物。我感觉说了很多不该说的，而且又遗漏了很多重要的事。这说法虽然有些装腔作势，但如果我长寿，几年后倘若再有拿起这篇小说的机会，我将会多么惨啊！恐怕连一页还没读完就要为难以忍受的自我厌恶而战栗，从而掩卷拒读。便是现在，我也没有气力回头重读前面所写的内容。唉，作家不能赤裸裸地暴露自己的身影，那是作家的败北。人，以美好的感情创造出丑恶的文学。我第三次重复这句话，并予以承认吧！

我不懂文学。是不是要从头返工？伙计，从哪里着手好呢？

我不正是个混沌与自尊心的混合体吗？这篇小说不也正是仅此而已的东西吗？唉，我为什么要急于断定一切呢？不把所有的思考理出个头绪就活不下去，这种小里小气的劣根性是跟谁学的呢？

要不要写呀？写一下青松园最后一天的早晨吧！只能顺其自然了。

真野邀请叶藏去后山观景：

“景色相当的好呀！眼下的话一定能看到富士山。”

叶藏的脖子围上了纯黑色的羊毛围巾；真野在护士服外套上了有松叶花样的和式外挂，将红毛线围巾一圈圈围在脖子上，几乎把整个脸都包住，两人穿着木屐一同来到疗养院的后院。紧靠后院的北面高高耸立着红土断崖。一个很狭窄的铁梯子架在断崖上。真野手脚麻利，最先哧溜哧溜地爬了上去。

后山枯草又高又密，上面布满一层白霜。

真野一面哈气来暖双手指尖，一面沿着上坡山路奔跑着。山路蜿蜒曲折有个缓坡。叶藏也踏霜追在后面，向着冰冷的空气快乐地吹着口哨。山间空无一人，可以做任何事情，他是不想让真野担心他会做傻事。

他们下到洼地了，这里也是枯干的茅草丛生。真野站住了，叶藏也在离她五六步的地方站住，因为就在旁边有个白色帐篷搭成的小屋。

真野指着小屋说：

“瞧，日光浴场。轻症患者们就是裸体在这里聚集的呀！嗯，现在也是。”

帐篷上也霜光闪烁。

“上吧！”不知为什么她很急。

真野又跑起来，叶藏也跟随其后。他们来到两旁有落叶松的狭窄小路路口。两人疲劳了，开始慢慢溜达起来。

叶藏一面耸动肩膀喘着粗气，一面大声向真野搭话：

“我说，新年在这里过吗？”

真野没有回头，依旧大声回答。

“不，我想回东京。”

“那么，来我处玩吧！飞驒和小菅每天都来我处。该不会让我在牢里过年吧？我想一切都会顺利的呀！”

原来他甚至已在脑中描绘出了尚未见面的检察官清新的笑脸了。

是不是在这里结束小说？老派大作家会在这种地方煞有介事地结束，但叶藏，我，恐怕包括诸位在内，都早已厌烦这种虚假的抚慰了。新年，牢狱，检察官，对我们来说统统无所谓了。难道我们从开头就介意什么检察官吗？我们只不过想去一下山顶。那里有什么？会有什么呢？——仅仅是小小的期待与此相关。

终于爬到山顶。山顶上经过了简单的平整，十坪左右的红土显露出来。中间有一座圆木料搭成的亭子，甚至还星罗棋布地摆着类似庭园踏脚石那样的东西，一切都覆盖着冰霜。

“不行了，看不到富士山啊！”

鼻尖冻得通红的真野喊道。

“本来在这一带是能看得相当清楚的嘛！”

她指着布满阴霾的东边天空说，原来是旭日没有露脸。颜色光怪陆离的片片行云翻滚了停下，停下又缓缓流动起来。

“不，可以了。”

和风吹拂着面颊。

叶藏遥遥俯瞰着大海，脚下就是高达三十丈的断崖，江之岛在正下方显得很渺小。在浓重的晨雾最深处，海水在缓缓地波动。

而接下来呢？不，仅此而已。

《日本浪漫派》，昭和十年（1935）五月号

卷二

解答生活

他已非昔日之他

告诉你这种生活吧！如你想了解，你就到我家的晒衣场来好了，我就在那里悄悄地告诉你吧！

你不觉得我家的晒衣场很适于远眺吗？郊外的空气浓烈而新鲜吧？人烟稀少。请注意！你脚下的板子似乎快要腐烂了，你可以再往这边来一点。吹来的是春风，像这样微微吹得你耳中痒孜孜的，那是南风的特点。

放眼望去，你不觉得郊外房屋的所有屋顶不够整齐划一吗？我想你一定凭靠着银座或新宿百货商店屋顶花园的木栅栏，手托下巴，茫然地俯视过小巷里那成千上万的屋顶。小巷里的屋顶成千上万，同样大小，同样形状，同样颜色，你压我我压你互相挤在一起，最后其一端淹没在被霉菌和车尘污染成淡红色的小巷的烟霞之中。你想到所有屋顶下那成千上万、千篇一律的生活，一定会闭起眼睛深深叹口气。正如你所见，郊外的所有屋顶与其殊异，似乎每个都从容地显示和强调着其存在的理由。那细长的烟囱便属于名唤“桃之汤”的公共澡堂之物，青烟随风向北方袅袅飘散；那烟囱正下方的红色洋式瓦屋顶是某著名将军的，那一带每夜都会传来谣曲音乐。从红屋顶开始，街道两旁的米槠树蜿蜒向南延伸，树的尽头有一堵白墙发出昏暗的光，那是当铺家的仓库。长得矮小但精明伶俐的女主人掌管着当铺的经营，她年纪刚过三十岁。此人就是在路上与我相遇，也会对我视而不见。她是顾虑她打招呼会影响对方的声誉。仓库后可见到五六棵看起来脏兮兮的树，宛如鸟翼骨架向旁边伸展出叶片，随风舞动婆娑，那是棕榈。那棵大树覆盖下的低矮铁皮屋顶，是泥瓦匠的家。泥瓦匠正在坐牢，他打死了妻子，因妻子破坏了他每早的一大自豪事：泥瓦匠有一奢侈的享受，就是每早要喝半合[1]牛奶。而那天早晨，妻子不慎误将牛奶瓶摔坏，她以为那并不是什么大不了的过失，但泥瓦匠却为此恼羞成怒，妻子当场命断，泥瓦匠进了牢房。他十岁光景的儿子前些日子还在车站卖店前买报纸看来着，我看到了他的身影。然而，我要告诉你的生活并非这种平庸琐事。

请到这边来！这东面的风景则越发别致，人烟也更加稀少，那片黑乎乎的小林子挡住了我们的视线，那是杉树林，里面有供奉着狐仙的神社。林子边上豁然开朗之地是油菜花田，紧接着眼前是有百坪大小的空场。一只纸风筝在悄然飞升，风筝上写着绿色的“龙”字。但愿你看到那风筝垂下的长长尾巴，如你从风筝尾末端垂直画一条线，那恐怕正好落到空场

---

1 合：日本的容积单位，1合为1升的十分之一，约等于0.18立升。

的东北角。你早已目不转睛地凝视着那里的一口唧筒式洋井，不，你会凝视着正在按压唧筒铁臂从洋井打水的年轻女人。那就行了，本来我就是想给你看那个女人的。

围着雪白的围裙，那就是太太。她打完水，将水桶提在右手，就那样踉踉跄跄地走起来。她要进哪所房子呢？空场东侧长着二三十棵很粗的孟宗竹[1]。你瞧！女人穿过孟宗竹林后突然消失了踪影。瞧，如我所说吧？不见了。不过你别在意，我知道那女人的最终去处。孟宗竹后面有一片朦朦胧胧的红色吧？那是两棵红梅树，花蕾肯定是已经鼓起来了。在那淡红色的霞光下，可以看到黑色的日本瓦屋顶，就是那个屋顶。刚才的女人，还有她丈夫，就在那屋顶下起居。毫无任何出奇的屋顶下，有着我想告诉你的生活。请坐到这里吧！

那房子本是我的。有三间分别为三张、四张半和六张榻榻米大的屋子。房间的布局也好，采光也不错，还带有一个十三坪大的后院。除了栽有两棵红梅树外，还有树干相当高大的百日红，又有五棵雾岛杜鹃花树。去年夏天，我还在大门旁边栽上了南天竹。就这样房租定为十八元，我不认为太贵了。原想要二十四五元的，但由于离车站稍远些，估计不可能谈成吧。尽管我不认为太贵，房租却已拖欠了一年。那房子的房租本该

1 竹的品种之一，高15米左右，直径约20公分。竹笋能食用，皮上有紫褐色斑纹和长毛，茎可制作工艺品；原产中国。

都是我的零用钱，他这一拖欠可好，这一年之间我的种种交际都没面子了。

租给现在那汉子是在去年三月，里院的雾岛杜鹃花刚吐嫩芽的时节。在租给那汉子之前，住着一位银行职员和他年轻的妻子，那职员曾经是著名的游泳选手。银行职员是个比较懦弱的男人，不抽烟，不喝酒，大概有些好色。因为这，夫妇才经常吵架的。不过单说房租倒是绝对准时交纳，所以，关于他我也说不出什么坏话来。银行职员前后大约住了三年，是被下放到名古屋支行去的。今年寄来的贺年卡上，名叫百合的女孩名和夫妇名并列写在一起。租给银行职员之前呢，是租给一位三十岁光景的啤酒公司的技师。他和母亲、妹妹三人一起生活，一家人态度都很冷漠。技师是个不拘小节的人，总是穿着暗绿色的服装，而且好像一个循规蹈矩的市民一样。母亲的白发剪得极短，气质高雅；妹妹是个二十岁上下的瘦女子，喜欢穿令箭图案的铭仙[1]和服；那可以称作温良恭谨的家庭了吧。大约住了半年，然后就搬到品川那边去了，其后消息就不得而知了。对我来说，当时动辄还有不满之类，现在想来，那位技师也好，游泳选手也好，都属于好房客的类型。也就是所说的房客运好。而因为如今的第三代房客，我完全是厄运缠身了。

1　铭仙：蚕丝织成的高档绸和服衣料，有条纹或飞白花纹等品种，产于秩父、伊势崎等地。

眼下这个时间，那屋顶下的房客一定是钻在被窝里，嘴里悠然自得地吸着“希望”牌香烟呢！是的，吸“希望”牌，不可能没钱。尽管如此，就是不交房租。其实我从一开始就错了。一个黄昏，他自称“木下”来到我家，呆呆地站在大门口的水泥地上，以一种异常和蔼可亲、似乎就要纠缠上来的口吻只说了一句，大概意思是“自己在教书法，想租用府上的房子”。是个很瘦弱、身材矮小的长脸青年，身穿崭新的久留米碎白点花纹和服，折痕从肩部到袖口都特别齐整。看起来的确是个青年，后来才知道据说是四十二岁，比我要年长十岁。那么一说倒也是，那汉子的嘴边、眼下都有很多皱纹了，看起来倒也不像个青年。尽管如此，四十二岁，我想恐怕是扯谎吧。对，那小小谎话对那汉子来说是毫不稀奇的。从一开始来我家的时候，他就已经扯了弥天大谎。对他的请求，我当时给他回话说：“如果你中意的话那就……”以前我对房客的身世向来不怎么深查，我觉得那是失礼的事。关于押金，他说了这种话。

“押金是两个月房租是吗？不，对不起。那么，请允许我只交五十元。钱，我们即便有也会用掉的，这个这个，像储蓄之类嘛。呵呵，明早马上搬过来呀。押金嘛，就给您请安时顺便一起带过来吧！不知行不行？”

就是这么个情形，我没法说不行吧？加之，我这人的信条是听人说啥就信啥，如被骗了那要怪骗子坏。我便回答说：

“没关系，明天也行，后天也行。”那汉子一面露出撒娇似的微笑，一面谦卑地鞠躬后静静地走了。留下的名片上没有居住地址，只用普通铅字印着“木下青扇”，那文字的右上角用钢笔又小又脏兮兮地补写着：自由天才流书道教授。我不禁哑然失笑。次晨，青扇夫妇用卡车跑了两趟，拉来很多居家用品就算搬过来了，五十元的押金到头来就那样无声无息了。怎么可能给你？

搬来的那天过午，青扇和妻子一起到我家来寒暄。他穿着黄色的对襟毛衣，还煞有介事地绑着绑腿，脚上穿着疑似女式的涂漆木屐。我到大门口送他时，他立马说道：“啊！总算搬完了呀！这身装束很怪吧？”

然后，窥视着我的脸微笑了一下。我感觉有点不好意思，敷衍回答他说：“累够呛吧？”尽管如此，仍然回报他一个微笑。

“这是我的女人，请关照！”

青扇夸张地将下巴向上扬了扬，把悄然伫立在后面、有点大块头的女人指给我看。我们相互都鞠了躬。她穿着麻叶花样、蓝绿色的铭仙夹衣，外面套着好像同为铭仙的绞缬染朱红色和服外褂。我瞥了一眼太太那松软的下宽脸吃了一惊。倒也不是我认识的脸，尽管如此却强烈地引人动容。她皮肤白皙几近透明，一侧眉毛上挑，而另一侧的眉毛则平静如常。眼睛似乎有几分细小，轻轻地咬着薄薄的下唇，起初我还以为她是生气呢，不过旋即明白了并非如此。太太鞠躬后，避开青扇将那个大礼金袋放在大门口地板上，低声而又坚决地说："一点小意思。"接着又缓缓地鞠了个躬。鞠躬时，仍然扬起一侧的眉毛咬着下唇。我想，这大约是她平素的习惯吧。青扇夫妇就那样离去，而我半天一直在发呆，然后就怒上心头。其原因既有押金问题，更重要的是感觉有点焦躁不安、忍无可忍，似乎被人忽悠中了圈套一般。我蹲在房门口的地板上，抓起羞人的大礼金袋看了看里面，里面装着荞面[1]店的五元商品券。一时之间，我丈二和尚摸不着头脑。要说这五元的商品券真是荒唐。猛然间我脑中生出一种不祥的疑念：说不定是打算用那个来顶押金的吧？我是这样想的。倘若如此，我现在就必须给他们还回去。我感到一阵难以忍受的恶心，将礼金袋揣进怀里，离家紧随青扇夫妇之后去追赶他们。

青扇和太太都没有回到他们的新居来。我想他们回去途中或许去购物了吧。我从他们那过于没戒心、敞开的大门满不在乎地进了这个家。我是准备"伏击"在这里打他们个措手不及的。要是平常，我也不会起这样粗暴的念头，不过，似乎是怀中的五元商品券让我有点乱了方寸。我穿过了三张榻榻米的房间，进入了六张榻榻米的起居室。看样子这对夫妇对搬家

1 日文「蕎麦（そば）」与「傍（そば）」发音一样，故日本有搬家后要给周围邻居送荞麦面之类的民俗，表示我们搬到您旁边做邻居了，今后请多关照。但本作品中青扇表面是用荞面店的五元商品券表示习俗，实际是打算赖房租。

已习以为常，一应家具等都早已大致整理停当，壁龛里摆着不上釉的陶钵，钵里养着的木瓜秧开着两三朵淡红色的花。挂着的字画是简单装裱的四个大字：北斗七星。词句怪异倒也罢了，书体则更加滑稽可笑，似乎是用刷浆糊的刷子写的，笔画粗犷到夸张的程度，而且，洇得一塌糊涂，虽然没有落款样的字，但我一眼就可断定是青扇所写。这就是所谓的“自由天才流”吧？我进了最里边的四张半榻榻米房间，衣橱、梳妆台等都安排得井然有序，一个圆形的玻璃框里，装饰有一幅细脖子粗腿的裸体女人素描，挂在紧贴梳妆台的墙上，这大概是太太的房间了。还有个尚很新的桑木火盆和似乎与之配套的桑木小衣橱靠墙摆放着，长火盆里面放着烧红的炭火，上面吊着烧水铁壶。我先在长火盆旁边稳坐，抽了支香烟。刚刚搬过来的新居，似乎让人伤感。我也体谅到两夫妇商量挂画框和争论放长火盆的位置，从而感到生活有所改变时的一种积极的兴奋。仅仅抽了一支香烟，我便站起身来。到了五月，要给他们换榻榻米了。我一边那样想，一边出了大门向外走，然后又重新从大门旁边的柴扉绕进院子里，坐在六张榻榻米房间的廊下等待青扇夫妇。

当院子里的百日红树干开始被夕阳染成红色时，青扇夫妇才总算回来了。不出所料，他们购物去了。青扇肩上扛着一把扫把，太太右手吃力地提着铁桶，里面装满了买来的各种杂物。因为他们是打开柴扉进来的，所以马上就认出了我的身影，不过倒也没怎么吃惊。

“啊呀呀！房东先生，欢迎！”

青扇没有放下扛着的扫把，微笑着轻轻地点了一下头。

“欢迎啊！”

太太也扬起她那特有的眉毛，尽管如此，倒是比上次多出几分轻松，一闪露出白牙笑着打了招呼。

我内心感到难办了。要不押金的事今天就不说了吧！我是想仅仅就荞面商品券说说他们。然而，这也没有成功。我反而和青扇握了手不说，而且说来很不争气，竟然还和他相互高呼万岁了。

我由着青扇的劝诱，从廊前地板进了六张榻榻米的房间。我和青扇相对而坐，心里直想着：话从何说起呢？我喝了口太太给沏的茶时，青扇轻轻站起身来，就势从隔壁房间拿来了日本象棋棋盘。如你所知，我是象棋高手。我想就是称个无敌手也无妨。和客人还没有谈几句就拿出棋盘，这是一个自我夸耀的人常用的惯技。既然如此，那我就先让他尝尝我的厉害。我微笑着默默地摆好棋子。青扇的棋风有点怪，速度极快，说来就是突然袭击；我呢，是这样一种棋风——如随着他的速度走也快下，那么，不知不觉间老将儿就处于被吃掉的态势。在几局连战连败的过程中，我渐渐开始上劲了。因室内有点暗，我们出到廊下去继续下。最后结果是十比六，以我的失败而告终。我和青扇都累得精疲力尽。

在下棋过程中青扇一言不发，沉着地端坐如盘，也就是一副正儿八经的迎战姿态。

“棋逢对手啊！”他一面往盒子里收棋子，一面认真地自语，“您不躺一下吗？啊呀！太累啦！”

我很失礼地把脚放平伸直，脑后阵阵刺疼。青扇也将棋盘推到一边，在廊下伸长两腿胡乱地躺下来，并手托下巴眺望着开始被暮色笼罩的庭院。

“哎哟！蜉蝣！”他低声喊了起来，“奇了怪了，您瞧！这个节气了，还有蜉蝣！”

我也趴在廊下，迎着亮观看庭院中潮湿的黑土上方，猛地发现正事还一句也没谈呢，又是下棋又是找蜉蝣，我发觉了自己呆傻程度之甚。我慌忙地重新坐好。

“木下先生，我很难办啊！”我这样说着，从怀里掏出了那个礼金袋。“这个我不能接受。”

青扇也不知为何大吃一惊，变了脸色站起身来：

“什么也拿不出……”

太太来到廊下窥视我的脸，房间里电灯开着但光线幽暗。

“这样啊！这样啊！”青扇一面急忙频频点头，一面皱着眉头似乎看着远处的什么东西。“既然这样，那就先吃饭吧！话，可以接着从从容容地唠呀！”

这种情况下，我本不想还吃人家一顿饭，但心想着起码得把礼金袋的事搞搞清楚，就跟着太太进了房间。这下子坏了，我喝了酒了。被太太劝酒一杯时，心里想着这难办了，但随着两三杯下肚，我渐渐沉静下来。

起初，我打算从嘲笑青扇的“自由天才流”开头，便回望壁龛里的字画，问道：“这，就是‘自由天才流’啊？”这时，青扇苦笑了，因酒醉有几分发红的眼边猛然变得更红：

“‘自由天才流’？啊！那是谎话呀！我是听说这阵子要是没有个什么职业，房东不租房给你，这个这个，才胡编乱造出那种荒唐玩意。您可不要生气啊！”说完，又呛了口酒般地笑了一通，“这是在旧货店里发现的，我吃了一惊，心想：还有这种戏弄人的书法家啊？便花了三毛多买下了。文字光是‘北斗七星’四个字别无意义，对此我很中意。我喜欢粗俗古怪的玩意。”

我想道：青扇肯定是个相当傲慢的汉子。越古怪的汉子，其兴趣爱好就越是搞得别出心裁。

“问句失礼的话，你是无业人员吗？”

我又开始对五元的商品券介意起来了。我想，这里面一定有什么圈套。

“是的。”他用酒杯饮着杯中酒，脸上还存留着微笑，“但您无须担心呀！”

“哪里话。”我尽可能竭力做出对其很见外的样子，“我呢，直说了吧！别的不谈，你那五元商品券就让我放心不下。”

太太一面给我斟酒一面开言道：

“真是的，”她用她那小胖手整理一下领口后微笑道，“木下这人真够呛，说什么这回的房东看样子又年轻又善良等失礼的话，那个那个，硬是让我做了那种可笑的商品券，真是的。”

“是吗？”我不禁笑了一下，“原来这样啊！所以我也大吃一惊。押金的——”我说走嘴了半句话，就赶紧闭口不言。

“是吗？”青扇模仿我的语句，“我明白了。明天给您送过来吧！银行休息。”

他这样一说，我才意会到今天是星期日。我们都毫无理由地齐声捧腹大笑。

我从学生时代起就喜欢“天才”这个词汇。读了龙勃罗梭[1]、叔本华[2]等人的天才论后，悄悄到处搜寻称得起天才那样的人，但相当难找。上高中时，听说有位教历史的年轻光头教授名气很大，能把全校所有学生的姓名和毕业的中学悉数背诵下来，我想这不就是天才吗！曾注目一时，可他的讲课却是一塌糊涂。后来才知道，所谓记住姓名及其各自毕业的中学，乃该教授唯一可夸耀之点，而为了记住这些，据说他竟苦到将自己的骨肉内脏都弄残了。现在这样与青扇相对而坐互相交谈，我感到他的骨骼也好，头型也好，瞳孔颜色也好，还有语音语调

---

1 龙勃罗梭（Cesare Lombroso，1835—1909）：意大利犯罪学家、精神病学家，刑事人类学派的创始人。

2 亚瑟·叔本华（Arthur Schopenhauer，1788—1860）：德国哲学家，唯意志论的创始人。主要著作有《作为意志和表象的世界》等。

也好，和龙勃罗梭、叔本华所规定的天才特征极为吻合。的确，当时我就是情不自禁那样认为的。青扇苍白瘦削、身材矮小、脖子短粗，说话带有说台词般的鼻音。

酒劲上来时，我问青扇：

"你刚才说了诸如自己是无业之类的话，那么，你是在搞什么研究之类的吗？"

"研究？"青扇好像顽童般地脖子一缩，将大眼睛滴溜溜地转了一圈，"研究什么呀？我讨厌研究。敷衍了事地做自以为是的注解吧？我不愿意呀！我是要创造的。"

"创造什么呀？莫不是搞发明？"

青扇嗤嗤地笑了起来。他脱掉了黄色的夹克，光剩下一件衬衣。

"这话有意思了。对呀！是搞发明呀！发明无线电灯呀！全世界一根电杆都没有了，那该有多干净利索啊！别的不说，武打电影拍外景就简单多啦！我是个演员啊！"

太太两眼好像被烟熏了似的眯成一条缝，呆呆地抬眼望着青扇油光闪亮的脸：

"不可以呀！你喝醉啦！总是这样胡说乱道，真愁人，请别介意。"

"什么是胡说？烦人！房东先生，我真是个发明家呀！怎样做，人才能出名？我发明了这个。您瞧！您不是凑过来了吗？就是这。现在的年轻人全都患上一种出名病，一种破罐子破捧而又卑微的出名病。你，您呢，当个飞行家，创个快速环球一周的新纪录，不知行不行？以必死的决心闭上眼睛，一直向西飞到底。睁眼时，会看到人山人海，您就成了地球的宠儿。不过需要三天的忍耐，怎么样？想不想干？没魄力的笨蛋啊！哈哈哈！呀！失礼了。要不然您就去犯罪，没事！会很顺利的。只要自己别塌台，就算不了什么。杀人也可以，偷盗也可以，只是犯的罪越大越好呀！没问题。哪里会被发现呢？时效到期后，就可以堂堂正正地以实名出头。您，会大受追捧的。不过，这个不比飞机的三天，需要十年的忍耐，不太适合你们现代人啊。好！那我就教给您一个适合您这种程度的温良恭谨的方法吧！对于您这样的色鬼、胆小鬼、懦弱怕事之徒，有一种适合您的办法就是搞出丑闻啊！首先，这个嘛，在城内能成名人，和别人的妻子私奔！嗯？”

我呢，本是无所谓的。在我看来，青扇醉酒时的脸显得很美。这样的脸孔并不常见，我猛然想起了普希金。感觉似乎是在哪里见过的脸孔，这千真万确是在彩色明信片和在店头见到的普希金的脸孔。那普希金的遗容，是在英气逼人的眉毛上刻上几道衰老疲惫的深深皱纹。

我好像醉得很厉害。到头来我终于从怀中掏出商品券，嘴里说着“尽管如此……”，还是答应让荞面店给送酒来。就这样，我们喝了又喝。与人初交时的那种见异思迁的激动使两人越发来劲，我们双方似乎都感到一种焦躁，以无知的雄辩急于让对方更多地了解自己。我们为很多虚假的东西而感动，不止一次地交杯换盏。当察觉时太太已经不在场了，恐怕已经去睡了吧。我想，我得回去了。临走前双方握了手。

“喜欢你！”我那样说道。

“我也喜欢你呀！”青扇似乎也那样回答了。

“好！万岁！”

“万岁！”

似乎确是那种情形。我有个坏习惯，那就是一喝高就喊“万岁”！

这顿酒喝得不好，都是因为我是个容易顺竿爬的人，就那样顺顺当当地开始了我们两人可笑的交往。酩酊大醉的次日，一整天我都痴痴呆呆的，好像被狐狸或者貉子之类迷住了一样。无论如何，青扇都不是等闲之辈。我呢，也是一样，因为已到了这个岁数还是独身，每天东游西逛不务正业，被亲朋好友视为怪人而遭蔑视，但我的头脑毕竟还是明事理的，知道让步的，是遵从通常的道德生活过来的，说来甚至是健康的。与此相比，青扇似乎有点离谱，好像决然不是个好市民。我作为青扇的房东，在弄清他的真面目之前，是不是各方面疏远他一点才更恰当啊？我也不禁如此考虑，接着的四五天之间我就装作跟他形同陌路了。

然而，青扇搬来一周左右时，我又见到了他，那是在公共澡堂的浴池里。我刚走到浴池的冲洗处，立马就有人大喊一声

“哎呀！”过午的澡堂别无人影，原来青扇一个人在那泡澡。我惊慌失措，蹲在泡澡后净身用的水龙头前，将肥皂涂在掌心弄出很多泡沫。看来是相当地慌张来着，吃了一惊。尽管这样我还是故意慢吞吞地打开龙头放出温水，洗去手心上的泡沫进入浴池。

“那天晚上，谢谢啦！”我毕竟还是感到很不好意思。

“哪里话！”青扇一脸装模作样的表情，“您哪，这是木曾川的上游啊！”

我随着青扇的视线看去，知道他在说浴池上方的油漆画。

“还是油漆画好呀！比起真的木曾川。不对，因为是油漆画，所以才好吧？”说完，回头看着我微笑。

“嗯。”我也微笑了一下。我不懂他话里的含义。

“尽管如此，也付出了劳累呀！是凭良心作的画。画这幅画的油漆匠是绝不会到这家澡堂来的啊！”

“会来的吧？一面欣赏自己的画作，一面静静地泡澡，也是不错的嘛！”

我的这番话似乎引起了青扇的蔑视，他只说了句“不好说”，便把自己两手的手背并拢，望着自己的十个手指甲。

青扇先离开了浴池。我一面在浴池中泡着，一面暗中看着在脱衣场的青扇。今天他穿着鼠灰色的捻线绸夹衣。他端详自己映在镜中容貌的时间长得过分，让我惊诧。过了一会儿，我也从浴池里出来了，而青扇则悄悄地坐在脱衣场角落的椅子上，一面抽着香烟，一面等着我。我感到有点憋闷。两人一起出了公共澡堂。在路上，他自言自语说了这种话：

“在见到一丝不挂的裸体之前是不可能向您敞开心扉的。不，我说的是指男人和男人之间呀！”

那一天，我受邀没有推辞又造访了青扇家。途中和青扇分别，我暂回了一趟自家弄了弄头发之类，然后如约立即出发去青扇家。但青扇不在家，只有太太一个人，在夕阳照到的廊下看晚报。我打开了大门旁的柴扉，横穿过小院子，站到了廊边，问了问：“不在吗？”

“嗯。”太太答应了一声，眼睛并没有离开报纸。她紧紧地咬着下唇，情绪不好。

“洗澡还没回吗？”

“对。”

“咦？在澡堂和我在一起来着，他说是让我来玩的。”

“他的话靠不住呀！”她不好意思地笑笑翻看着晚报。

“那么，我就告辞了。”

“啊呀！能不能等一会儿呀？请喝杯茶！”

太太叠起报纸，又将报纸摊开着向我推送过来。

我在廊下边缘坐下了。院子里红梅的一颗颗花蕾已经含苞待放。

“您还是不要信任木下为好呀！”

太太冷不丁在我耳边说了这句悄悄话使我一愣，她向我劝了茶。

“为什么呢？”我认真地问道。

“不行呗！”她用劲扬起一侧的眉毛，轻轻地叹了一口气。

我差点哑然失笑。因为我以为这女人服侍有着某种特殊才能的丈夫，也一定会学着青扇平素沉溺于古怪的骄吟怠惰之中，会不经意地炫耀其操劳之功。我从内心感到可笑：真有扯谎毫不脸红的呀！不过，扯如此区区小谎，我也毫不逊色。

“人说胡说八道是天才的特性之一，只是说出了每个瞬间的真实。有个词叫作‘豹变’，往坏了说就是机会主义者。”

“说什么天才，怎么可能？”太太将我喝剩下的茶根倒到院子里，又给我续上一杯。

或许是因我刚出澡堂，非常口渴。我一边喝着热茶，一边追问怎么能断言不是天才。我从一开始就打算哪怕只有一点，也要挖掘出类似青扇底细的东西。

“他是自吹自擂。”太太这样回答。

“原来这样吗？”我笑了。

这个女人也和青扇一样，不是聪明过度，就是愚蠢过度，二者必居其一。总之，我认为很不像话。但有一点，我自以为看得出太太似乎相当地爱青扇。我一面望着黄昏的暮色中渐渐模糊起来的庭院，一面将小小的让步暗示给太太：

“木下先生那样，还是有什么考虑吧。如果是那样，他就没有什么真正的休息。他没有懒惰，无论洗澡时，还是剪指甲时。”

“哎呀！您是说，因此要体贴他吗？”

在我听来，她的话相当动气，所以，我就带有几分嘲弄的口吻反问了一句：“你们为什么事吵架了吗？”

“没有。”太太似乎感到很可笑。

一定是吵架了。而且，现在她一定焦急地等待着青扇。

“我该告辞啦！下次再来。”

暮色迫近，唯独百日红的树干还柔和地依稀可见。我把手搭在柴扉上，回头再次向太太鞠躬告别。太太白色的身影孤零零地站在廊下，很有礼貌地还礼。我在心中寂然地自语：这对夫妇还是相爱的。

尽管我得以了解了他们夫妇相爱，但青扇为何许人也？我实在没能很好地把握。是现在流行的虚无主义者？还是一般有钱的装腔作势者呢？不管怎么说，我开始后悔将房子糊里糊涂地租给了这种汉子。

不久，我不好的预感渐渐应验了。三月过了，四月过了，可青扇杳无音信。关于出租房屋的种种文件互换丝毫没做，押金问题当然也就仍旧被搁置。不过我的性子是不愿意和其他房东那样啰啰嗦嗦地互相搞什么文件；另外，就算拿到押金，我也讨厌将其转到别处来吃利息，正如青扇所说，就好像储蓄一样。所以，那些就由他去吧。不过连房租也不给，实在让人头疼。尽管如此，到五月为止我还是佯装不知。这虽然可以用我的满不在乎和宽容来解释，但老实说，我是怕青扇了。一想到青扇，就感到一种莫名的不安，不想见到他。虽然明知总归要见他把话挑明，但有点逃避心理，就明日复明日地拖下去了。就是说，原因在我的软弱无能和缺乏行动力。

五月底，我终于下狠心决定去青扇家。是清早就去的。我总是这样，一旦起了一个念头，如不尽早将其解决就不甘心。我一到门口，发现大门还紧闭着，好像还在睡觉。我不愿意突然打断年轻夫妇的好梦，所以就那样无功而返。心情焦躁地做了一些家里树木的修剪，熬到中午时分后我再次出发了。大门还在紧闭，这次我也是绕到院子里。院中五棵雾岛杜鹃花各自怒放，密密麻麻挤在一起宛如五个大蜂窝；红梅花已经凋谢，舒展开碧绿的叶子；百日红所有树枝的分叉处都长出毛刺一般细长的嫩叶。挡雨板窗也关着。我轻轻地敲了两三下门，低声呼唤："木下先生！木下先生！"仍然是鸦雀无声。我从挡雨板窗的缝隙悄悄往里面窥视了一下，人，不管到多大年龄都有偷窥的兴趣吧？而里面漆黑一片，什么也看不见。不过唯独能感到有人睡在六张榻榻米的房间里。我离开挡雨板窗，考虑要不要再喊一次，其结果是再次打道回府。悔于偷窥人家而产生的胆怯，似乎促使我垂头丧气地无功而返。回家一看，正好有来客，和他谈妥两三件事的期间，天已经黑了。送走客人之后，我试图第三次造访青扇家。我想，总不至于还在睡觉吧？

青扇家亮着灯，大门也开着。我一出声叫门，传来了青扇嘶哑的回答："谁？"

"是我。"

"呀！是房东先生啊！请进！"他似乎在六张榻榻米的房间里。

家里的空气感觉有点阴湿郁闷。我站在大门口歪头瞄一眼六张榻榻米的房间那边，只见青扇穿着棉袍匆匆忙忙地在收拾床铺。在昏暗的灯光下，青扇的脸显得很老气，让我一惊。

"你已经休息了吗？"

"嗯，不是。不妨事。我已经睡了一天了，真的。这样睡着，是最不花钱的。"他嘴里那样说着，看样子房间已经收拾好了，便跑到大门这里，"对不起！好久不见。"

就连我的面孔都没有好好看一眼便立刻低下了头。

"房租，目前还是拿不出啊！"冷不防冒出这么一句。

我怒上心头，故意一言不发。

"太太逃跑了。"他贴近大门口的拉窗，静静地蹲着。因为灯光是从后背照下来，青扇的脸只是显得黝黑。

"因为什么呀？"我大吃一惊。

"嫌弃我啦！有了别的男人了吧。她是那种女人。"

他一反常态，话说得很干脆。

"什么时候的事？"我坐在大门口的地板边上。

“怎么说呢，是不是上个月中旬前后呀？您不进来吗？”

“不，今天我还有别的事……”这事让我身上有点起鸡皮疙瘩。

“说来丢人现眼，我是靠那女人的父母资助来生活的，这就成了这样。”

青扇急忙滔滔不绝地说着，我看出了那架势就是恨不得早一刻将客人赶回去。我特意从怀里掏出香烟，问他：“没有火柴吗？”青扇默默地到厨房拿来了家庭用的轻便型火柴。

“不知你为什么不工作？”我叼着香烟，暗下决心，从现在开始慢慢争取和他谈得投机起来。

“因为不能工作，没有才能吧。”依然是干脆的口气。

“别开玩笑！”

“不，假如我要是能工作的话嘛……”

我知道了青扇意外地具有爽快的性格，虽然心有感动，但如这样顺水推舟表同情的话，房租就没有指望了。我给自己鼓了鼓劲：

“这样，我不是不好办了吗？我这边不好办，就是你，也不能总是这样下去呀！”我将抽了一半的香烟摔向地板[1]，红色的火花啪地散落在水泥地上，然后消失了。

“嗯嗯。那个么？想想办法，有指望。感谢您呢！不能再

---

1 原文作「土間（どま）」，和式房间中不铺木地板，露出土地面或三合土、水泥地，或铺瓷砖之处。

等一小段吗？再等一小段！”

我叼起第二支香烟，又划着了火柴。因火柴的火光，我得以窥见刚才担心的青扇的脸了。我不由得吧嗒一声将燃着的火柴掉落在地上，因为我看见了恶鬼的脸。

“那么，我改日再来。没有的东西，我是要不到的。”我真想马上逃离这里。

“这样啊！特意跑一趟，实在抱歉！”青扇一本正经地说着，站起身来。他接着自言自语地说道：“四十二岁的一白水星[1]，流年不利，很不好办。”

我似乎连滚带爬地出了青扇家，拼命往自家赶。但随着一点点沉静下来，一种受了愚弄的感觉渐渐抬头。我又上了一当。青扇那种钻牛角尖一般的清晰口吻也罢，不经意自言自语的四十二岁也罢，都让我不禁感到全是故意地装腔作势，我似乎是过于天真了。我想，像我这样好说话的性格，是无论如何当不了房东的。

接下来的两三天，我光想着青扇的事度着时光。我也是靠着父亲的遗产才能这样不需操劳地打发一天天的日子，没有产生出去工作的念头。而青扇“要是能工作的话嘛！”的表述，我也不是不明白，但倘使青扇现在真的过着连一文钱收入的指

1　一白水星：“一白”指风水学上所谓九宫飞星中的坎位，五行属水，方位朝北。青扇在这里所说的“一白水星”意在强调自己四十二岁，风水和运势都是流年不利，也是为赖房租找借口。

望也没有的日子的话，仅此一点其精神就已经非同小可。不，虽说“精神”什么的听起来冠冕堂皇，但总之是一种相当恬不知耻的劣根性。既然已到了这步田地，我想，不想办法究明那家伙的本来面目就无法安心了。

五月过去了，到了六月，青扇仍然毫无消息。我不得不再次前往他家。

那天，青扇俨然一个运动员，上穿带领子的衬衫，下穿白裤子，好像有点害羞似的出来了。整个家给人的印象是光鲜明亮。我被带到六张榻榻米的房间一瞧，房间靠壁龛那侧的角落摆着不知何时买的、似乎是旧式的沙发，沙发上裹着鼠灰色的天鹅绒；而且，榻榻米上还铺了淡绿色的地毯。房间意趣焕然一新。青扇让我坐到沙发上。

院里的百日红就要开出猩红色的花。

“总是拖延，真是抱歉。这回没问题喽！找到工作了。喂，小贞！”青扇和我并排坐上沙发后，对隔壁房间喊道。

一位穿着水手装的小个子女人从四张半榻榻米的房间里冒了出来。这是个看起来很健康的圆脸少女，瞪着澄澈的双眼，好像不知害怕为何物。

“这是房东呀！打个招呼！这是我的女人。”

我感到愕然了。明白了刚才青扇含羞微笑的含义。

“什么样的工作呀？”

那少女退回隔壁房间后，我装作几分不通世故地问起他的工作。我是提防着，心想至少今天我可不能上你的当。

“是小说。”

“咦?”

“不，我从前是学文学的呀！总算有了点眉目。我是写真人真事。”他一脸正经。

“你说的真人真事是?”我刨根问底地追问。

“也就是说，把没有的事当成是事实来加以报道。无所谓呀！别忘了放上某县某村门牌几号啦，大正某年某月某日啦，当时的报纸也有报道啦之类的词句，接下来一定要写子虚乌有的事。也就是小说嘛！”

青扇因为他新妻的事到底是有几分心虚，试图回避我的视线。他又是挠掉长发里的头皮，又是几次轮换着翘二郎腿，一面这样一面施展他的三寸不烂之舌。

“真行吗?我可不好办哪！”

“没问题，没问题！嗯。”

他截住我的话，反复说着“没问题”，而且爽朗地笑了。

我相信了。

那时，方才的少女端着放红茶的银盘进来了。

“您瞧！”青扇接过红茶茶碗递到我手里，又在接过他自己的茶碗时那样说完，回头向后看。壁龛里“北斗七星”的字画不见了，摆着一个一尺来高的石膏胸像。胸像旁开着鸡冠花。少女用生了锈的银盘半遮住红到耳根的脸，睁大茶色瞳孔的大眼睛瞪着他。青扇用一只手拂去她的视线，说道：

“您看那胸像的额头，脏了吧？那是没奈何的事。”

少女眨眼间就快速跑出了房间。

“怎么了？”我不明就里。

“没什么。据说这是贞子从前情人的胸像。这是来我这唯一的嫁妆呀！她是要亲吻这胸像的。”青扇若无其事地笑了笑。

我感到有点反感。

“看样子您不大喜欢哪！不过世道就是这么回事。没办法呀！她每天要换鲜花的，一看就让人佩服。昨天是大丽花，前天是鸭跖草，还是孤挺花呀？或许是大波斯菊也说不定。”

又是这一手。照这种势头一不留神又被引上钩的话，会和上次一样遭遇空城计。因我发觉了这一点，所以，我来了刁劲偏不吃他那套：

“不不。你工作方面已经开始了吗？”

“啊啊！那个嘛！”他啜饮一口红茶，“就要开始了。没问题呀！我真的是个搞文学的书生嘛！”

我一面寻找放下茶碗的位置，一面说道：“不过，你所谓‘真的’靠不住啊！好像‘真的’这两个字的谎上加谎……”

“呀！这话厉害！您不就是要直截了当的事实吗？我呀，从前有一位森鸥外[1]您知道吧？我是那位先生门下的呀！那篇

1　森鸥外（1862—1922）：小说家、评论家、翻译家，与夏目漱石齐名的文豪。其本业是军医，曾任陆军军医总监、陆军省医务局局长等职。主要名作有《舞姬》《高濑舟》《阿部一族》等。

小说《青年》[1]的男主人公就是我。”

这，对我来说也有点意外。那篇小说我很久以前读过一次，那幽幽的浪漫氛围久久地抓住我的心而不曾离去，但却不知书中那各方面都极度俊朗的主人公却原来还有原型。我想，因为是老人脑中杜撰出的青年，故而才如此俊朗的吧？真正的青年倒是猜忌多疑，工于心计，让人感到郁闷，也令我不满。那睡莲一般的青年，那么说难道就是这青扇吗？我虽然开始感到兴奋，但立刻起了戒心，在内心加以否定。

“首次听说。不过，恕我冒昧，那似乎是一位更为温文尔雅的公子哥儿。”

“您这话说的！”青扇轻轻收去我手里拿了半天的茶碗，和他自己的茶碗一起放到了沙发下，“那个时代那样就行了。可现在那青年也要变成这种样子的，我想不单单是我一个人。”

我重新审视了一下青扇的脸。

“那就是抽象而论吗？”

“不是。”青扇诧异地看着我的眼睛，“说的是我……”

我再三再四地感到一种类乎怜悯的情感。

“好了，今天我就此告辞吧！务必请开始你的工作！”

我说完就走出了青扇家，途中我不能不祈祷青扇的成功。

1　前述森鸥外的著名长篇小说。作者描写了一位出身地方的青年小泉纯一立志成为名作家而上东京，在积极和名作家、一流大学的学生加深交往之时，结识了一位同乡名学者的遗孀坂井礼子。不久，他忘记了上京初衷，迷恋上了天马行空的坂井礼子。最后，不缺金钱和时间的小泉，反思内心得不到满足的空虚感。作品客观地提出了“人为何而活”的严肃主题。

这可能有两个缘故吧，一是青扇关于青年的那番高论油然沁入我心，令我颓唐气馁到连自己都感到可笑；一是由于青扇新婚，我又产生了某种祝他幸福的心情。一路上我一直在盘算，对我来说，并非不催收他房租生活就无以为继，充其量也就是零花钱不大方便吧。这，就当为了这个不被上天眷顾的老青年，忍受一下我的不便吧！

我这人似乎有个毛病，那就是我的心总要被艺术家吸引。特别是当那男子没有受到世间公正的评价时，我的心情尤为激动。如果说青扇现在正在冒出嫩芽，那么，用房租等区区小事来污染他的心就是要不得的了，这件事就先稍放一旁吧。期盼他的发迹吧！ He is not what he was[1].当时我突然脱口而出的一句英语令我感到十分高兴。念初中时，我在英语的语法教科书中找到了这句话，曾内心狂跳不止，这句英语又是我接受初中教育的五年间唯一没有忘记的知识。青扇呢，我每逢去找他总会更新某种惊异和感慨，我就把青扇和记下来的语法例句联想到一起，从而开始对青扇怀有一种非同寻常的期待。

然而，我有点举棋不定是否将我这决心告知青扇。这终究也可谓是房东的一种劣根性吧？或许明天青扇就把至今所欠房租一股脑送过来也未可知。怀着这样默默的期待，我就不去主

1 即“他已非昔日之他”。

动告知青扇自己不需要房租，如果这能构成激励青扇的原动力，我还认为这是件双赢的事呢。

七月末，我再次造访青扇家，看看他改善如何，会有什么进步和变化吧。我怀着这样的期盼出门了。到那一看我愕然了，岂止是什么变化？

那天我从园中院子里径直绕到六张榻榻米的房间廊下，青扇只穿了个兜裆布盘腿坐在廊边，两腿中间放了个大碗，他正在用一个类似山芋样的短棒在拼命地搅拌。我问了一句："你做什么呢？"

"啊呀！这是薄茶呀！我在点茶。这么热的天，喝这个最好。要不要来一杯？"

我发觉青扇的话音里有着某种变化，不过这不是疑虑的时候。我得喝他的那种茶。青扇硬让我拿住茶碗，然后没有起身就飞快地穿上了脱在旁边的弁庆条纹[1]的风流浴衣。我坐在走廊边，无奈地喝了茶。一喝，苦味适中，果然香醇可口。

"你怎么又搞起风流来了？"

"不不，因为好喝我才喝的。我呀，讨厌写真人真事啦！"

"咦？"

---

1 原文作「弁慶格子（べんけいごうし）」，又称「碁盤縞（ごばんじま）」（围棋盘样方格）。经纱和纬纱分别用藏青色和蓝色织成，是歌舞伎中男角所穿衣物。弁庆（？—1189），系历史人物、悲剧英雄源义经（1159—1189）的部将，勇敢善战。因该花色清爽有男子气，故而得名。

“我在写着呢！”青扇一面系腰带[1]，一面用膝盖跪着走近壁龛。

壁龛中已不见了上次见到的石膏像，代之以一个好像装着三弦的袋子立在那里，袋子上的花样是牡丹花。青扇在壁龛角落的文卷匣里翻弄了一会儿，不久抓着折叠成很小的纸片拿了过来。

“我是想写这个，正在收集资料呀！”

我放下薄茶的茶碗，接过那两三张纸片。好像是女性杂志上剪下来的剪贴，印着标题：四季候鸟。

“我跟您说呀！这张照片好吧？这是候鸟在海上遭遇大雾袭击时迷失了方向，追随光亮只是一股脑地飞，结果撞上灯塔相继死于非命的情景啊！几千万尸体。所谓候鸟可真是悲哀的鸟，因为它们的生活就是旅行啊！它们背负着不能安居一地的宿命。我想用一元论笔法来描写这个。主题就是我这只年轻的候鸟从东到西，从西到东，在彷徨间老去。伙伴渐渐死去，有的被枪打死，有的被浪涛吞没，有的饥饿，有的患病，真是一种巢不暇暖的悲哀哪！对了，不是有一首歌词是‘潮涨潮落问海鸥’[2]吗？有一次我曾经跟您讲过出名病，那

1　原文作「兵古帯（へこおび）」，用整幅布捋成的腰带。一般写「兵児帯」，这里的“古”为“児”的别字。鹿儿岛地区15岁以上25岁以下男子称「兵児」，由此得名，但女人也有用的。

2　该句歌词出自日本有名的北海道民谣「ソウラン節（ソウランぶし）」（中文译为《拉网小调》），共五段，作品中所出一句的原文为「沖の鷗に潮どき問えば」（潮涨潮落问海鸥），歌词中大多为拉网喊的号子。

算啥！比起杀人和坐飞机，有更加舒服的办法。而且还有死后留名的附录。是要写出一部杰作，就是这个呀！”我在他滔滔不绝的背后，又一次嗅到了某种遮羞的味道。果然，一个瘦弱的陌生女人从后门口悄悄往这边探了探头，她肤色浅黑，梳着日本式发型，并不是上次那位少女。她的这个动作被我一眼扫到了。

“那么，这个这个，你就写那个杰作吧！”

“要回去了？再来一杯薄茶？”

“不了。”

我在归途中又得烦恼了。这下子快要成灾了。世上难道还有如此荒诞无稽的事吗？现在我对他已超越了谴责，简直就是目瞪口呆了。蓦地我想起他说的候鸟的话，突然感觉到了我与他的相似。并不是说具体某一点，而是油然感到两人发出某种一样的体臭。心中似乎禁不住在说：你和我都是候鸟。这一点令我不安起来。是他影响我？还是我影响他？其中有一个是吸血鬼。我们当中的一个人不知不觉间渐渐盯住了对方的心思，他察觉了我期待他豹变而去找他，我这个期待束缚住了他，因此他必须更为努力地寻求变化。我越想越感到我和青扇的体臭似乎纠合在一起，互相反射。我以一种加速度开始对他执着起来。青扇不就要写杰作吗？我对他《候鸟》的小说开始相当感兴趣起来。我吩咐园艺师将南天竹种到他的大门旁，就是那个时候的事情。

八月，我在房总[1]海岸逗留了差不多整整两个月，一直住到九月底。回来的那天过午，我马上提点土特产鲽鱼干去拜访青扇。我就是这样对他感到一种异乎寻常的亲密，甚至相当地卖力气。

从门口一进去，青扇喜形于色地迎接了我。他把头发剪得很短，越发显得年轻，不过面色看起来显出几分冷峻。他穿着藏青地带碎白花纹的单衣。我也感到有点久别重逢的亲切，靠着他瘦削的肩膀进了屋。桌子上放着一打左右的啤酒和两只酒杯。

“奇怪！我确实想到了您今天会来的。哎呀！真是不可思议啊。所以我一大早就做了这样的准备等待您的光临。太不可思议了。来吧！请！”

不一会儿我俩就从容地喝起啤酒来了。

“怎么样？你的工作完成了吗？”

“那个没搞成。这百日红树上长了太多的油蝉，从早到晚吱吱叫个不停，我都快发疯了。”

我不禁被逗笑了。

“唉，是真的呀！实在没办法，我都把头发弄短，煞费了种种苦心呀！不过，您今天来得太好了。”他发黑的嘴唇顽皮地朝上一噘，将杯中的啤酒一饮而尽。

1　古诸侯国安房、上总、下总的总称，多指安房，即现在的千叶县。

“你一直待在这里吗？”我将放在唇边的啤酒杯放下。杯中漂浮着一只好像白蛉一样的小虫，在泡沫中不停地挣扎。

“是啊。”青扇将两个胳膊肘支在桌上，将杯子举到眼睛的高度，茫然地望着喷薄高涨的啤酒泡沫，专心地说：“我也没别的地方可去呀！”

“啊，我带来了土特产哪！”

“谢谢！”

他若有所思，我递给他的鱼干连一眼也不看，仍然在透过酒杯看着什么，两眼发直，似乎已经喝高了。我用小指尖将泡沫中的小虫捞出后，默默地咕咚咕咚一饮而尽。

“有一句话叫作：贫则贪。”青扇絮絮叨叨地说起来，“我认为完全正确呀。哪有什么清贫之说。如果有了钱该多好啊！”

“你怎么搞的？怎么感觉无理取闹起来了？”

我坐得随意些，故意望着庭院。我是想，一一理会他也没什么意义。

“百日红已经开花了吧？讨厌的花呀！已经三月了，还在开嘛！想开败也开不败，真是不会来事的树啊！”

我装作没听见，拿起桌下的团扇呼啦呼啦地扇了起来。

“伙计，我又成了独身者了。”

我回头看了一下，青扇在自饮自酌。

“先前我就想问来着，怎么回事呀？你这爱情也太不专一了吧？”

“不是的。全都是逃跑了的，我也是无奈啊！”

“因为你剥削人家了吧？有一次你说过那样的话，你一直都在靠女人的钱过活来着吧？”

“那是瞎说！”他从桌下的镍烟盒里抓出一支香烟，镇静地抽了起来，“其实是我乡下老家给我汇钱的。不过，我认为我经常换老婆这不假。伙计，从橱柜到梳妆台全是我的。老婆就只随身穿着一套衣服来我家，然后又一如原样随时可走。这是我的发明呀！”

“真是荒唐！”我满怀悲哀，拼命大口地灌啤酒。

“要是有钱该多好啊！我真的需要钱哪！我的身体已经腐臭，我想到五六丈高的瀑布下被水流击打，清洗我的身心，这样，才能更好地和您这样的好人毫无隔阂地交往。”

“那种事你就不必介意啦！”

我本想说不指望房租之类了，但没有说。因为我发现他抽的香烟是“希望”牌。我想，他并非完全没钱。

青扇知道我眼盯着他的香烟，似乎马上察觉了我凝视香烟的意图。

“‘希望’牌好啊！既不甜也不辣，没什么味道，所以我喜欢。不说别的，首先牌子的名起得就好。”他自己说了一通辩护之类的话后，突然改变了语调，“写了小说，写了十页左右，下面继续不下去了。”他把香烟夹在指间，用那手掌去缓缓擦拭两鼻翼上的油。“我认为没有刺激是不行的，所以也做了这样的尝试呀！拼命攒钱，攒到十二三元后就拿着它去咖啡店最荒唐地花掉了。我指望产生悔恨之情。”

“那么，写成了吗？”

“还是不行！”

我笑了起来。青扇也笑起来，把“希望”牌香烟啪地摔到院子里。

“小说这玩意很没意思。你写出再好的东西，一百年前就有更好的作品摆在某处。更新潮、更超前的作品，在一百年前早就出来啦！我们最多就是模仿啊。”

“没有的事吧？我认为越往后的人，写得就越好。”

“您从哪里得来这么狂妄的确信？不要轻易下结论嘛！您从哪里得到那种确信的。好作家自有其优秀的独特个性，是要创造出高尚的个性的。而候鸟，是做不到的。”

天快黑了。青扇用团扇不停地驱赶小腿上的蚊子。因为附近有树丛，蚊子很多。

“不过也可以说无性格是天才的特质。”

我尝试着这样一说，青扇虽然好像不满似的噘着嘴，但面部的某一处却实实在在地露出一种冷笑。我发现了这一点。这个当口，我的酒醉也醒了。果然如此，这一定是在学我。有一次我曾经告诉过这里最初的太太天才是胡说八道，一定是被青扇听到了。恐怕这一点成了暗示，到目前为止在青扇心中不断地产生影响，从而左右了他的行动。

青扇以往与众不同的态度，想来似乎是为了尽力不违背我无意中所说的对他的期待。这个男人无意识地对我撒娇，担当了我的帮闲。

“你也不是小孩子了，荒唐的事是不是应该适可而止了？即便是我，也不是把这房子白白供你玩的，地价上个月又涨了一些，另外，税金、保险费、修缮费等等要花相当多的钱，给别人添麻烦后，还能装聋作哑的人，不是和社会不合拍的傲慢精神，就是乞丐的劣根性，二者必居其一。你的撒娇也到此为止吧！”

我甩下这样一通话后站起身来。

“啊啊！在这样的夜晚，我要是能吹个笛子什么的那该多好呀！”

青扇一面自言自语地说着，一面到走廊送我。我下到院子里的时候，因为太黑找不到木屐在哪里。

“房东先生，电灯被停了！”

总算找到了木屐，趿拉上木屐后悄悄偷看了一下青扇的脸，青扇站在走廊边缘，因新宿一带的灯火，湛蓝星空的一端像着火一样地明亮，他茫然地望着那里。我想起来了，从一开始，我心里就一直琢磨着好像在哪里见过青扇的面孔，在那时我总算想起来了。不是普希金，而是和以前租过我房子的啤酒公司技师的老娘的面孔一模一样，那老太婆将一头白发剪得很短，弄成平头。

十月，十一月，十二月，这三个月我没有去青扇家，青扇当然也没有到我家来。只有一次，在公共澡堂碰见过。那是将近半夜十二点时分，澡堂就要关门的时候。青扇一丝不挂，颓唐地坐在脱衣场的榻榻米上剪脚指甲。他好像刚从浴池里上来，双肩上热气腾腾地冒着蒸汽。一见到我的面孔，他也没怎么吃惊："据说夜里剪指甲要出死人哪。在这家澡堂，死过人啦！房东先生，最近，我唯独头发和指甲长得特别快。"

他默默地笑了笑，一面说着那番话，一面咔嚓咔嚓地剪着指甲，剪完之后就手忙脚乱地穿上和式棉袍，连那镜子也不照就匆匆回去了。我感觉他那些行动有点无耻，只是增强了对他的轻蔑看法而已。

今年新年，我到附近给邻居拜年，顺便到青扇家一下。当时，一开大门，一只红褐色毛的体长大狗突然对我狂吠，令我大惊。青扇穿了一件鸡蛋色罩衫样的衣服，头上戴了个睡帽，显得格外年轻地走出来。他立马按住狗头，罗列了一通无聊的话来代替寒暄，说这条狗是去年年末不知从哪里迷途误打误撞跑来的，喂了它两三天的工夫，已经摆出忠犬的面孔向外人狂吠了。他是打算不久就把它丢弃到什么地方的。我想，可能又发生了什么不好意思的事了吧，便断然拒绝了青扇的挽留告辞了。可是，青扇从后面追上来说道：

"房东先生，大过年的说这种话有点那个，不过，我现在几乎就要疯了。我正在发愁家里客厅出来的一大堆小蜘蛛。前几天，我独自打发无聊光阴，想把弯了的火筷子弄直，便当当地在火盆沿上敲打，您说怎样？我老婆丢开正在洗的衣服，变了眼神跑到我房间里来了。‘我看你肯定是疯了！’她是这样说呀！反把我吓得够呛。房东先生，您有钱吗？不，算了。就这样，我这两三天简直是郁闷透顶，新年了，家里故意什么也没准备呀！您特意光临，我们却什么也招待不了。”

“你又有了新夫人了？”我尽量用带刺的口气问道。

“啊啊。”他孩子似的很羞怯。

我想，他大概和歇斯底里的女人之类开始同居了吧。

就在前几天，二月初的事情。我在深夜接待了一位意想不到的女客来访。我来到大门口一看，原来是青扇最初的那个太太。她裹着黑毛披肩，穿着粗条飞白花纹的外套。白皙的脸颊显得更加苍白，几近透明。说是“有几句话要跟您说，请随我到那边去一下”。我连斗篷也没披，就那样一起出门了。下了霜，清冷的圆月挂在天际，轮廓清晰。我俩默默地走了一会儿。

“从去年年底开始，我又到这边来了呀！”她用生气一般的眼神直视着我说。

“那——”我没有别的可说的了。

“也是想这边了。”她心无杂念地这样自语。

我一言不发。我们向着杉树林那边缓缓走去。

“木下先生怎么样啊?”

“依然如故。实在抱歉。”她将戴着黑毛线手套的双手抵到膝盖左近哈腰致歉。

“我真是不好办啊！前几天我和他吵了一架。他究竟在做什么呀?”

“没用。他简直是个疯子。”

我微笑了，因我想起了弯火筷子的事。如此说来，青扇所说那个神经过敏的老婆就是这位太太了。

“不过，他那样，肯定是有某种考虑的呀！”我还是起了姑且反驳她一下的念头。

太太一面嗤嗤地笑，一面答道：

“嗯。说是想成为华族[1]，还要成为有钱人。”

我感到有点冷，略微加快了脚步。每走一步，因霜冻鼓起来的土便被踩碎发出低沉的怪声，那声音宛如鹌鹑或猫头鹰的低鸣。

“不，”我故意笑了，“我问的不是那个，我是问他难道没

---

1 华族：日本明治维新至二战结束之间曾存在的贵族阶层。“华族”出现于1869年6月17日，而正式的“华族令”是1884年7月7日颁布，1947年正式被废除。1869年，各地方诸侯“版籍奉还”之后，原来的“公家”（公卿）、“大名”（诸侯）等称呼被废除统称为“华族”。1871年日本取消旧身份制度，将国民分为皇族、华族、士族、平民四等。华族成为仅次于皇族的贵族阶层，享有许多政治、经济特权。“华族令”将华族分为公爵、侯爵、伯爵、子爵、男爵五个等级。其中，旧公卿家族根据家世，授予子爵以上爵位；旧大名家族，根据“石（发音：dan入声）高”（俸禄额）和在戊辰战争中的表现授予男爵以上爵位。随着1947年开始的《日本国宪法》的施行，“华族令”被废止。因太宰本作品出版于1934年，当时华族尚未废止。

有开始什么工作吗？”

“已经懒到骨髓了。”她回答得很干脆。

“有什么情况吧？恕我冒昧，请问他年龄有多大了？倒是跟我说什么四十二岁了。”

“这怎么说呢。”这回她不笑了，“说不定还不到三十岁呢！年轻得很呀！因为他多变，真实年龄我也说不清楚。”

“他是怎么个打算呢？看样子好像没有学习什么，那么，是在读书吗？”

“不是，光看报纸。只有报纸倒令人佩服地订了三份。仔仔细细地阅读呢！政治版他反复多次看来看去。”

我们来到了那片空场。草原上的霜很清爽，因为皓月当空，石块、竹叶、木桩，甚至垃圾都泛着白光。

“他好像连朋友也没有啊？”

“嗯，说是对大家都做着坏事，已经都不跟他来往了。”

“做了什么样的坏事？”

我以为是因为钱的事。

“很无聊的事，完全是无聊透顶的事。说是尽管如此，也是坏事。他，已经分不清好赖了呀！”

“对，对！他是将好坏颠倒。”

“不是的。”她将下颚深深地包入披肩里，轻轻地摇了摇头，“如果是清楚地好坏颠倒还好，他的行事简直是乱七八糟呀！所以我心里没底才逃跑的呀。他倒是真会奉承人，我之后据说又来过两个呢！”

“嗯。”我没怎么听她说。

“他似乎就是随季节的变化而变化的，是不是学了别人啊！”

“你说什么？”我没有马上领会她话里的意思。

“是模仿呀！他，他哪有什么观点！全是受女人的影响啊！对方是文学少女时，他就鼓吹文学；对方是小市民时，他就玩风流。我全明白。”

“不会吧？他是契诃夫那样的——”

我这样说着，对她笑了笑，我感觉心里很堵得慌。如果青扇在场，我曾想可以紧紧搂抱住他那瘦削的肩头。

“那么说，现在木下先生的懒到骨髓就是模仿你喽？”我这样说完后，感到有点踉踉跄跄站不稳了。

“嗯。我这人呢，就喜欢那样的男子，假如您能再早点知道真相的话。可是，已经晚啦！这就是不信任我的报应啊！”她轻轻一笑，但斗胆把这话说了出来。

我踢了一下脚下的土块，猛一抬眼，发现树丛下一个男人悄然而立。穿着和式棉袍，头发也一如从前留得长长的，我和她同时认出那人。相互握着的手悄悄地松开，轻轻地分开了。

“来接你来啦！”

青扇低声这样说，或许是因为周围的宁静，那声音在我听来简直震耳欲聋。看样子他连月光都嫌晃眼似的，双眉紧蹙，战战兢兢地望着我们。

我向他寒暄道:“晚上好!”

“晚上好!房东先生。”他和蔼可亲地回应。

我只是走近他两三步,问了问:

“你在做着什么营生吗?”

“那个话,请先放一放吧!又不是没有别的话题。”他一反常态,严厉地这样回答后,又突然变成固有的撒娇口吻:

“我呀,从前一段开始,在搞看手相呢!您瞧!太阳线[1]在我手掌出现了。您看!看呀看呀!这就是时来运转的证据。”

说着,他便迎着月光高举左手,出神地望着自己手掌心所谓的“太阳线”。

时来运转个鬼?从那以后我就再没有和青扇见面。我觉得他疯了也罢,自杀了也罢,随那家伙的便。这一年也因为青扇,我内心的平静似乎被严重地扰乱。便是我,虽说是靠些许遗产得以过上安乐的生活,但也并非那样宽裕,只因为青扇,我遭受到相当的困窘。而且,至今似乎落得个毫无任何乐趣、更加憋闷的下场。

我只不过给凡夫俗子加上了某种意义,并将其化为梦想,

1 据说所谓“手相学”可根据手掌纹路占卜人的命运。“太阳线”又名“成功线”“运势线”,说是表示成功或人际关系,这条线可由各不同的位置升起,但其尖端都伸向太阳丘,即无名指根部。

望着它度过光阴而已，有千里驹吗？有神童吗？对那种期待我真的完全不再抱希望了。那统统都是与从前一如原样的他，只不过因为每天的风向变化看起来颜色有少许改变而已。

喂！看看吧！青扇的散步。就在那上空飘着纸风筝的空场，他穿着横条纹棉袍悠然地走着。你为什么那样不停地笑？原来如此，你是说很像？——好，那么，我要问你了：一面又是仰视天空，又是摇动肩膀，又是低头沉思，又是手掠树叶，一面那样慢吞吞地转悠的那个汉子，与在这里的我，有一点点不同之处吗？

《世纪》，昭和九年（1934）十月号

I can speak

痛苦是忍气吞声的夜晚，是让人心死的清晨。难道这个所谓世道就是努力让人心死的吗？让人忍受冷清寂寥的吗？韶华就这样一天天在光阴的流逝中被虫蛀蚀下去，而幸福却也能被发现于陋巷，此之谓也。

我的歌失去了声音，在东京无所事事，不久，开始枯燥地写起某种并非歌，而是可谓“生活私语”之类的东西，由自己的作品渐渐知晓了自己该走的文学道路。嗯，是不是就在这里呀？——我这样想，多少有了些信心，便着手写以前曾打了腹稿的长篇小说。

去年九月，我租住在甲州御坂岭[1]山路最高处一家名叫“天下茶馆”的二楼，在那里一点点进行自己的工作，好歹总算写出了近百页，反复阅读，感到成品还不是那么差。重新得到力量后，自己便在御坂岭寒风凛冽的一天自作主张地给自己

---

1 原文作「甲州の御坂峠（こうしゅうのみさかとうげ）」。“甲州”是史上诸侯国「甲斐国（かいこく）」的异称；「峠（とうげ）」指山路的最高处；「御坂峠」即山梨县通过御坂山和黑岳之间的马鞍部山路的最高处。

下了个许诺：总之，在完成这部作品之前不回东京。

这真是个荒唐的许诺。九月、十月、十一月，御坂岭的严寒渐渐难以忍受。当时每天夜里都觉得心里没底，不知如何是好而相当迷茫。自说自话地给自己下的许诺，事到如今也难以打破，即便想飞回东京，也感到似乎有某种“违约”的味道，故而在山顶上走投无路了。我想下山回甲府。我是想，要是在甲府，气候比东京还暖和，这个冬天也就可以顺利度过了。

下山到了甲府，我得以逃离严寒。莫名其妙的咳嗽也消失了。在甲府市郊一家供膳宿的公寓房租了一间采光很好的房间，面向小桌坐了坐，感觉良好。工作便又一点点进展了。

从中午开始，我正在枯燥地工作，传来了年轻女子的合唱声。我停笔侧耳谛听，与我住处一条小路之隔有个缫丝厂，原来是那里的女工们在边工作边唱歌。其中有个突出的悦耳声音在领唱，有鹤立鸡群之感。我想：真好听啊！甚至想表达一下感谢，还想爬过工厂围墙，看一眼那声音之主。

我还想道：要不要信笔写这么几句——你不知道，这里有个落寞的男子，每天每天都因你的歌声得到多少救赎；你不知道，你的歌声是何等激励了我，激励了我的工作！我想衷心地感谢你——然后把信从工厂的窗户投进去。

然而，如我那样做了，要是那位女工惊恐之余歌声戛然而止，那就糟了。倘使我的致谢反倒扰乱了人家专心致志的歌声，那就是罪过了，为此我曾独自焦虑不安。

或许是在恋爱？二月里一个寒冷而静谧的夜晚，在工厂的小路上突然传出醉汉的粗大嗓门，我侧耳倾听：

“不……不要小看俺呀！有什么好笑的？俺从没有因为偶尔喝点小酒被嘲笑过。I can speak English. 俺上了夜校啊！姐姐你知道吗？不知道吧？俺连老娘也瞒着，偷偷上夜校呢！因为人不出息不行啊！姐姐，有什么好笑的？什么值得你那样笑？这样，姐，俺不久就要出征啦！那时你别吃惊呀！酒鬼弟弟也和别人一样能工作的呀！这是谎话呀！所说的出征还没定呢！不过，嗯，I can speak English. Can you speak English? Yes, I can. 多好啊！英语这玩意儿。姐姐，你给俺说清楚，俺是个好孩子吧？嗯？老娘什么都不懂……”

我拉开一点拉窗俯视小路，起初还以为是白色的梅花呢，原来不是，是她弟弟白色的雨衣。

她弟弟穿着不合季节的雨衣，冷得瑟瑟发抖似的，将后背紧靠着工厂的围墙站着。一个女工从墙上边工厂的窗户里探出上半身，凝视着喝醉酒的弟弟。

当时虽然明月当空，但女工和其弟弟的脸都看不清楚。姐姐的圆脸微白，似乎在笑着。弟弟的脸黑，给人的感觉还很幼稚。醉汉这句I can speak的英语给了我狠命的一击，以致感到难受。“起先有言，万物乃依此而成之”[1]——蓦然间，我感到忆起了已遗忘的歌。虽然这是微不足道的一幕，可我却难以忘怀。

那个夜晚的女工，是不是就是那美声之主呢？不得而知。恐怕不是吧。

《若草》，昭和十四年（1939）二月号

1 见《新约·约翰福音》1：1–3，中译文为：太初有道，道与神同在，道就是神。这道太初与神同在。万物都是藉着他造的，没有一样不是藉着他造的。

秋风记

“久久伫立思从前，皆似物语般（，明月西斜照我肩）。”[1]

——生田长江[2]

请问，我写什么样的小说好呢？我居住在物语的洪水里。要是当个演员就好了，我甚至可以速写出我熟睡时的面容。

如我死了，甚至也会有悲伤的人将我的遗容画得很漂亮。K便会为我做这件事。

K，比我大两岁，是一位今年三十二岁的女子。

---

1 生田长江自作的“三行诗”。生田长江彰显会出版的《生田长江诗集》（2011）中载有该“三行诗”，题名为「たちつくし」，其排列是：
たちつくし　ものをおもへば
ものみなの　ものがたりめき
わがかたに　つきかたぶきぬ
因全文用的是假名，第三行里的「わがかた」中的「かた」没用汉字，究竟指的是“方”？还是“肩”？译者姑且理解为“肩”，暂试译为：久久伫立思从前，皆似物语般，明月西斜照我肩。

2 生田长江（いくたちょうこう，1882—1936）：评论家、小说家、戏剧家。出生于日本鸟取县，毕业于东京帝国大学美学专业。主要翻译作品有《神曲》《尼采全集》等，评论集《近年来的小说家》等。

要不要说说K呀？

K与我并没有血缘关系，但从小就是我家常客，就跟家庭成员一般。就这样，眼下K也和我一样，觉得“没生来人世就好了”。出生后还不到十年的工夫，她已经阅尽这世间最美之物，何时故去也无悔。不过，K活着，为了孩子而活着，也为了我而活着。

“K，你恨我吧？”

“唉！”K严肃地点了点头，“我有时甚至想，但愿你为我死去呢！”

我的亲属死了太多了。大姐二十六岁亡故，父亲五十三岁仙逝，最小的弟弟十六岁早夭，三哥二十七岁去世。到了今年，二姐三十四岁去世；外甥二十五，表弟二十一，这两人都和我很亲，然而，今年接连去世。

如果有无论如何非死不可的理由，那就开诚布公地说出来吧！我虽然一无所能，但可以两人谈谈，每天谈一句也好。即便花费一两个月也好。和我一起玩吧！即便如此，仍然了无生趣时，不，即便到了那种时候，你也不要独自去死，那时，我俩一起死吧！留下来的人可怜。你呀！可知否？心死者之爱几多深。[1]

就这样，K还活着。

1 据译者判断，这句话并非典故或引用，而是文中的“我”知此爱过深但又没有未来，不得不分开却仍深陷情网，被爱束缚而无奈。为表达自己的爱情之深，从而转用了不同正文的特殊强调语气和文字表述形式。

今年暮秋，我将有方格子花样的鸭舌帽低低地扣在头上，去拜访了K。我吹了三次口哨，K便轻轻地打开通往后门的木栅栏门迎了出来。

“要多少钱？”

“不是要钱。”

K对我察言观色：

“不想活了？”

“嗯。”

K轻轻地咬着下唇。

“好像到了每年这个时分，你都必定不行了呀。是不是冷得不行了？你没有和服短外褂吗？哎呀！哎呀！连袜子也不穿！”

“据说这样潇洒。”

“谁教给你的？”

我叹了口气说：“谁也没教。”

K也轻轻叹了口气：

“难道没有个好人吗？”

我微笑了：

“我是想和K两个人去旅行。”

K认真地点了点头。

明白，一切一切都明白。K带领我外出旅行：不能让这孩子死。

当日夜半，两人上了火车。火车开动了，K和我总算都松了口气。

“小说写得怎样了？”

“写不出来。”

漆黑夜里的火车声：哐当哐当，哐当哐当，哐当哐当。

“香烟，吸吗？”

K从手袋里连续拿出三种外国香烟。

某一时期我写过这样的小说。打算告别人世的主人公在临死前吸了一支香气袭人的外国香烟，就为了这微小的乐趣而打消了死的念头。我写过这样的小说，对此K也是了然于心的。

我涨红了脸。尽管如此，还是一支接着一支，装模作样地依次吸了这三种外国香烟，不偏不倚。

在横滨，K买了三明治。

“不吃点？”

K故意态度粗俗，独自大口吞咽吃给我看。

我也平静地将一片塞进口中，有点咸。

“哪怕我只说一句话，我就感到是在给大家带来相应的痛苦，在徒然地折磨大家，所以我干脆沉默寡言说不定反而更好。可我是个作家，是个不开口说话就活不下去的作家，故而我很感吃力。哪怕是一朵花，我都不能适当地爱，哪怕是对幽香的爱，我也高低不能忍耐。疾风般用手将其折断，放到手心将花瓣撕碎，然后将其弄得一塌糊涂，又因忍受不住而哭泣，将其放到嘴里嚼碎再吐出，用木屐来践踏，接下来自己便难以自持了，想把自己杀掉。说不定我就不是个人，最近我真是这样想的呀！我呢，不是那个撒旦[1]吗？是杀生石[2]，是毒蘑菇，我总不会叫吉田御殿[3]吧？可我是个男的呀！”

“你怎么样？”K表情严厉。

“你K是憎恨我的，憎恨我的八面玲珑。啊！我明白了。K相信我的坚强，高估了我的才华。这样，你就不明白我的努力，是人们并不知晓的傻乎乎的努力。猴子的悲哀你懂吗——就像剥掉一层皮再剥掉一层皮，剥到芯里却一无所有的藠头。猴子相信里面一定会有什么东西，又找来另外的藠头再剥呀剥，还是一无所有。碰上谁就爱谁，悉数爱上随便碰到的一万个人，这等于谁也不爱。”

K扯了一下我的衣袖，原来我的声音太高了，高得离谱。

---

1 撒旦（Satan）:《圣经》中的魔鬼，反叛上帝耶和华的堕天使，曾是上帝座前的天使之首，后因骄傲自大背叛上帝，最终被赶出天国。

2 关于“杀生石”，日本有几个传说：一是枥木县那须温泉附近的一个熔岩块；二是传说鸟羽天皇宠姬玉藻乃妖狐化身，被杀后变石头，人触该石即有灾祸；又传说后深草天皇时玄翁和尚用杖将其打成两半，死灵魂出现成佛，遂消失；另名为《杀生石》的谣曲讲述该故事。

3 “吉田御殿”本是达官贵族的居住场所，但这里指德川幕府一代将军德川家康（1542—1616）孙女、二代将军德川家光（1604—1651）之女千姬。千姬多次为政治婚姻所利用，一生坎坷。先被嫁给丰臣秀吉之子丰臣秀赖（1593—1615），后家康灭丰臣氏，秀赖与其母淀君自杀，又被嫁给本多氏。后长子早夭，本多死，千姬落发为尼。
后来日本民间流传的“吉田御殿”的故事，多以千姬为女主角，描述千姬屡遭磨难后，移居吉田御殿，索性日日笙歌放浪形骸。勾引美男子到御殿后，最后将这些人悉数残忍杀害。这个故事情节纯属虚构，据说是一些支持丰臣氏的人对千姬丧夫后很快改嫁不满而编造的。日本有山本富士子主演的电影《千姬御殿》（1960）。

我笑着说："这里也有我的宿命。"

汤河原，下车。

"所谓一无所有，那是谎话呀！"K一面换旅馆的和式棉袍一面这样说道：

"这件棉袍花样的蓝色条纹不是很美吗？"

"啊，"我感到疲劳，"刚才我说的藠头话题你怎么看？"

"嗯。"K换了衣服，悄悄坐在我身边，"你不相信现在，那你能相信现在这一刹那吗？"

K像少女一样天真地笑着，审视着我的脸。

"刹那既不是谁的罪过，也不是谁的责任。这一点我明白。"我像大老爷一样抱着胳膊，在坐垫上正襟危坐，"不过，那对我来说构不成生命的快乐，只有人死的刹那间的纯粹才可信。然而，这个世上生命的快乐——"

"害怕其后的责任吗？"

K小声地来了劲。

"善后，实在是不好办。因为即便是一瞬间的焰火，躯体也没有死，而是以丑陋的状态留存下来啊。看到美丽极光的刹那，肉体也同时烧毁殆尽的话那就轻松了，然而却做不到。"

"没主见啊。"

"唉，我已经厌烦语言了，叫个什么都行。关于刹那的问题，要去问刹那主义者去！他们会手把手教给我们。大家都自吹自擂自己的烹调技术好，这是为人生调味。究竟是活在回忆中，委身眼下的刹那，还是——活在将来的什么希望中？说不定从这个问题中，意外地能区别开人的愚蠢和聪明。”

“你是傻瓜吗？”

“算了，K。愚蠢和聪明都不是，我们更坏。”

“请赐教？”

“‘布尔乔亚’[1]。”

而且，还是落魄的“布尔乔亚”，仅仅活在罪过的回忆中。两人兴致都很高，便旋即站起身来，去楼下的大浴池。

不要谈过去和将来，只是度过现在这一刻，这饱含深情的一刻，在沉默中坚定地起誓后，我和K踏上了旅途。不许谈家庭，不许谈身世之苦，不许谈明日的恐怖，不许谈人的困惑，不许谈昨天的羞耻。至少，仅仅让这一时刻过得静谧——两人念叨着这些话，悄悄地清洗着身体。

“K，我肚子的这个地方有块伤疤吧？那是割盲肠的伤疤呀！”

K像母亲一样温柔地笑了。

“K的腿也长，不过你瞧！我的腿相当长吧？买现成的裤子都不能穿。办任何事都不方便啊！”

K凝视着黑暗的窗：

“我说呀，不知有没有‘好的坏事’这句话？”

1　指资产阶级。

"'好的坏事。'"我也出神地自语了一句。

"下雨了？"K突然侧耳倾听。

"是山谷里的小溪。就在我们这下面流淌。一到早晨，这浴池窗外枫叶丹红一片，高山就耸立在我们鼻尖下，让人不禁发出一声'呀嗬！'的惊叹。"

"经常来吗？"

"不，一次。"

"来死？"

"是的。"

"当时玩了？"

"不玩。"

"那么今夜呢？"K一脸若无其事的样子。

我笑了："什么呀！这就是你K'好的坏事'吗？什么呀！我还……"

"什么？"

我下了个决心说："我还以为是和我一起死呢！"

"啊！"这回K笑了，"也有'坏的好事'这句话呢！"

一级，又一级，每慢吞吞地上一级浴场那长长的阶梯，便交替重复着：好的坏事，坏的好事，好的坏事，坏的好事，好的坏事，坏的好事……

叫来一名艺妓。

"只有我们两人的话，好像就会殉情，很危险，所以，今夜请你别睡就值夜班吧！如果死神降临，你要给赶跑呀！”K一本正经地这样说完，艺妓回答道：

“明白了！关键时刻也可能有三人殉情呢。”

开始了如下的游戏：将纸捻点着火，在火没灭的期间，要说出让你说的事物名，然后将纸捻传给旁边的人。现在开始，根本没用的东西！

“坏了一只的木屐。”

“不能走路的马。”

“坏了的三弦。”

“不能拍照的相机。”

“飞不了的飞机。”

“还有——”

“快！快！”

“真实。”

“哎？”

“真实。”

“有点不对路子啊！忍耐。”

“太难啦！我，辛苦。”

“上进心。”

“颓废。”

“前天的天气。”

“我。”这是K说的。

“我。”

“那么，我也说——‘我’。”火灭了，这把艺妓输了。

“可是，这也太难啦！”艺妓不加掩饰地放松了全身。

“K，你是开玩笑吧？真实呀，上进心呀，K你自己呀，说这些不起作用，开玩笑吧？即便像我这样的男人，只要生命不息，也还想方设法挣扎着想好好活呢。K你真糊涂！”

“你请回吧！”K的表情也突然严峻起来，“你这么想把你的认真劲，把你的认真之苦向大家炫耀吗？”

艺妓的美，不太好。

“我走，回东京。给我钱，我要走。”我站起身来，脱去了和式棉袍。

K仰视着我的脸一动不动地在哭，哭脸上还残留着一丝微微的笑容。

我没有想回去，可谁也没有挽留我。也罢！去死吧！去死吧！我换上和服，穿上了布袜。

走出了旅店，奔跑起来。

我在桥上停下脚步，凝视着下面峡谷中的白色溪流。我觉得自己是个混蛋，我想：是混蛋！是混蛋。

“对不起。”K悄然站在我后面。

“疼人，疼人也请适可而止好了！”我哭起来了。

回到旅店，两个被窝铺好了。我服用了一剂巴比妥，立刻装作入睡了。良久，K悄悄地起来，也服用了一包同样的药。

翌日过午，我在被窝里昏昏沉沉，K先起来，打开了一扇廊下的防雨窗板。是个雨天。

我也起了床，没有和K说话，独自下到浴场。

昨晚是昨晚，昨晚是昨晚——我一面硬把这话说给自己听，一面轻轻地在宽大的浴池中转圈游起水来。

从浴池中爬出来打开窗子，俯视着弯弯曲曲流淌着的白色山谷小溪。

有只冰冷的手放到我后背上，原来是一丝不挂的K站在我身后。

“鹡鸰。”K指着站在山谷小溪岸边岩石上窜来窜去的小鸟说，“说鹡鸰好像手杖一样，真是个胡说八道的诗人啊！那只鹡鸰更严厉，更勇敢，根本就没有把人类这种动物当回事。”

我也在思考这个问题。

K将身体滑进浴池后说道：

“红叶，是一种很艳丽的花呀！”

“昨晚——”我刚吞吞吐吐地说出半句。

“睡得好了？”K天真地问我，她那眼睛像湖水一般清澈。

我扑通一声跳进浴池说：“在K有生之年，我不死了，嗯！”

“所说的‘布尔乔亚’，是个坏东西吗？”

“我认为是坏家伙。孤寂、苦恼、感谢，都是一种爱好，一种自以为是，是仅仅靠自尊活着的。”

“只是介意着别人的传闻，”K嗖地出了浴池，边迅速地擦拭身体边说，“认为那里有着自己的肉体吧！”

“富人上天堂……”[1]

那样开玩笑地说了半句话，就狠狠地挨了一鞭子。

“常人的幸福，看样子很难呀！”

K在沙龙喝着红茶。

或许因为下雨，沙龙里很热闹。

“这次旅行一旦平安结束，”我与K并排坐到能望见山的窗边椅子上，“我要不要给你K送个什么礼品呀！”

“十字架。”K自言自语地说，她粉颈纤细，显得很柔弱。

“啊！请来杯牛奶！”我对女招待吩咐后接着说，“K，你还是生气了呀！昨晚，我粗暴地说出什么回去的话，那是演戏呀！我——说不定是个戏痴。一天不这样装模作样都难受，活不下去，即便是现在在这里这样坐着，我也认为我做作地要死呀！”

“恋爱呢？”

1　引自《新约·马太福音》：それからイエスは弟子たちに言われた、「よく聞きなさい。富んでいるものが天国にはいるのは、むずかしいものである。また、あなた方に言うが、富んでいるものが神の国にはいるよりは、らくだが針の穴を通る方が、もっとやさしい。」（译者试译：接着耶稣对弟子们说：“尔等听好！富人上天堂难矣。再告尔等，骆驼通过针孔都比富人上天堂更容易。”）

“我也有因介意布袜破了而失恋的晚上。”

“我说，我的颜值，怎么样？”K认真地将脸贴近我。

“什么‘怎么样’？”我皱起了眉头。

“漂亮不？”我感觉她像个外人一般，“显年轻吗？”

我简直想揍她。

“K，你就如此感到孤寂吗？K，你记住好了，K，是个贤妻良母；还有，我是个不良少年，渣男！”

“只有你，”说了半句话时，女招待端来了牛奶，“啊，谢谢！”

“痛苦是自由。”我一面喝着滚烫的牛奶，一面接着说道，“快乐也是那人的自由。”

“然而，我呢，是不自由的，苦乐都是。”

我深深叹了一口气。

“K，后面有五六个男人吧，哪个好？”

四个年轻的上班族模样的人在打麻将，还有两个中年男子一面喝着汽水稀释的威士忌，一面看着报纸。

“中间那个。”K眺望着扫过群山表面游走的雾团缓缓地自语道。

回头一看，不知何时另一个青年正站在沙龙中间，袖手凝视着门口右边角落处的菊花插花。

“菊花插花很难啊！”K是花道什么流派的高级别专家。

“啊！太老，太老。那小子的侧脸跟我哥哥晶助长得一模一样啊！哈姆雷特型[1]。”那位哥哥二十七岁便早夭了，生前常常搞雕刻。

“可我也不认识几个男人呀！”K有点不好意思。

号外。

女招待一张张到处给大家分发。——事变以来第八十九天，敌军全线崩溃节节败退。K看了一眼号外：

“征兵，你是?”

“丙种[2]。”

“我是甲种呀！”K大声笑起来，以至让人大吃一惊，“我不是在看山的呀！你瞧！我是看这个，眼前的雨滴形状呢！都各自有个性的呀！有的装模作样啪嗒一声掉落下来，也有的身材苗条、急吼吼地掉落下来，还有的装腔作势发出啪的声响掉落下来，更有的百无聊赖般地随风飘落——”

K和我都累得精疲力尽。那日从汤河原出发到达热海时，热海已笼罩在暮霭之中，万家灯火朦朦胧胧，使人油然感到心不落底。

---

1 《哈姆雷特》，又名《王子复仇记》，莎士比亚著名作品，讲述的是丹麦王子哈姆雷特杀死弑兄篡位的叔父为父亲报仇的故事。本小说对话中的“哈姆雷特”，特指“哈姆雷特型性格的人”，即喜欢沉思而不果断、优柔寡断类型的人。

2 这里指日本旧兵役制度的征兵检查。1928年，日本征兵令全面改定，满20岁男子要接受征兵体检，共分甲乙丙丁戊5种：甲种（身体健康者）；乙种又分为第一乙种、第二乙种（为合格）；丙种（身体有缺陷，但适用国民兵役）；丁种（残疾人，不适合兵役）；戊种（未判决犯人，无法判定兵役）。

到旅馆后，说是晚饭前去散散步，便借了两把公用伞去海边看了看。雨天的大海懒散地翻腾着波涛，然后掀起冰冷的水花四溅，给人一种冷漠而草率的感觉。

回望市街，唯见万家灯火星星点点，“孩童时代，”K停住脚步向我搭话，“我用针在彩色明信片上扎了很多小孔，透过灯光一看，那明信片上的洋楼、森林、军舰等便被五光十色的彩灯装点起来——你回忆不起来吗？”

“我呢，对这种景象，”我故意以感觉迟钝的口气说，“在幻灯里见过，全都模模糊糊的。”

沿着海边大路漫步，“有点冷呀！泡了温泉后出来就好了。”

“我们已经不需要任何东西啦，是吧？”

“啊，全都从父亲那里得到了。”

“你那种想死的心情——”K蹲下身体一面擦拭赤脚上的泥巴一面说，

“我明白。”

“我们，”我像十二三岁的大孩子般地撒娇，“为什么不能以一己之力来生活呢？哪怕当个鱼贩子也好啊！”

“谁也不会让我们做的呀！全都对我们过度保护，甚至到了刁难人的程度。”

“是啊！K，便是我，也想做些下里巴人的事情，但却遭到大家的嘲笑——”钓鱼人的身影进入了我的眼帘，“要不干脆钓一辈子鱼，像个傻子一样地过日子吧？”

“不行啊！你过于了解鱼的内心了。”

两个人都笑了。

“大致明白了吧？我是撒旦，被我爱的人都将会断送一生。”

“我可不那样认为，谁也不恨你，你是太喜欢夸大自己的短处了。”

“天真？”

“啊！就像这个阿宫[1]的石碑一样。”路旁，立着《金色夜叉》[2]的石碑。

“我呢，说句最单纯的话吧！K，正经话呀！你好好听着！你就把我——”

“不要说！我知道呀！”

“真的？”

“我什么都知道，就连我自己是姨太太生的孩子我都知道。”

“K，我们——”

---

1 阿宫：明治时代著名作家尾崎红叶（1868—1903）长篇名著《金色夜叉》（未完）里女主人公的名字。日本静冈县热海市海边大路旁某处名唤“阿宫绿地”，说是二人最后分手之处。那里有三种和《金色夜叉》有关的景物，一是男主人公踢倒女主人公的带有很高底座的铜像，二是《金色夜叉》的石碑，三是“阿宫松”（原树已枯死，现已换新）。

2 注1所提作品的情节为：男主人公间贯一（东京帝大预备校“一高”的学生）的未婚妻阿宫偶然结识富家子弟富山，遂在其父母支持下移情别恋，谎称去热海养病，实际是和富山幽会。遭到背叛的贯一大受刺激，遂中止学业，发誓向金钱复仇，成为一个高利贷大鳄的助手，后大鳄死，贯一被善良的大鳄之子赠巨额钱财。而和富山结婚的阿宫深深悔恨，但似乎一直没得到心如死灰的贯一的原谅，最后自杀身亡。故事跌宕起伏，文笔优美，当时成为有闲阶级夫人小姐的必读畅销书。断断续续连载六年，因作者去世而中断。

“啊！危险！”K护住我的身体。

K的伞被巴士的车轮挂住，发出咯吱咯吱的声音，紧接着K的身体像跳水运动员跳水一般被拖进车轮下，划出一条笔直的白线，车轮还像朵花一样在不停地转动。

“停车！停车！”

我感到头上好像挨了一闷棍，怒从心头起，我狠命用脚踹总算停下的巴士的侧部。K趴在巴士下面，像被雨水浇过的桔梗花一样美丽。这女人真是个不幸的人。

“谁也不许碰她！”

我抱起昏迷过去的K放声恸哭。

我将K背到附近的医院，K哭着小声地说着：“疼啊，疼！”

K在医院住了两天，便和赶来的家人一起坐汽车回家了。我则独自坐火车回的家。

K的伤势似乎不重，一天强似一天。

三天前，我去新桥办事，归途在银座转了一下。突然一眼看到一家商店的橱窗里有一个银十字架，我便走进店里，没买银十字架，而买了店内货架上的一只青铜戒指。那天晚上我怀中有一点杂志社刚给的稿酬。那青铜戒指上镶嵌着一朵用黄色玉石雕刻出的水仙花。我把它寄给K了。

作为回礼，K给我寄来了今年将到三岁的长女照片。

我今晨观赏了那张照片。

《关于爱与美》，昭和十四年（1939）五月

花烛

秉烛以永昼。

一

婚礼的深夜，新郎新妇正在畅谈未来，屋子里隔扇外却响起了飒飒的声音。两人吓了一跳，便提心吊胆地爬出去，悄悄打开隔扇一瞧，却原来是人家赠送的贺礼——盆景上摆设的龙虾还没有死，正晃动着它那又长又大的虾须呢。看到了动静的源头，两人相互对视，然后会心地笑了。这对夫妇有着如此有趣的回忆，一定会永结百年之好了吧，肯定会营造出一个温馨的家。

我现在将要讲一对男女的来龙去脉，我衷心祈祷这对男女也能得到如此温馨的初夜。

东京郊外有一位被称为男爵[1]的男子，年龄看样子有三十二三岁光景，或许更年轻也未可知。他从帝国大学经济专

1　关于日本战前的爵位，请参阅本书第149页“华族”的脚注。

业中退后就无所事事了。因每月从乡下寄来充足的生活费，所以租住着三间房子，每晚都很喧闹。他的房子一间能铺四张半榻榻米，一间能铺六张，还有一间能铺八张，这对一个独身者来说就有点太大了。然而，喧闹的人并不是男爵本人，却是因为“高朋满座”。来客实在是多，大多和男爵一样，属于无所事事、专事思考类型的人群。无一例外都很贫穷。在某种意义上来说，都被世间贴上了道德败坏者的定评标签。甚至还有路过这里的人，因看到里面很有趣，便说着“不知不觉就过来了，那么就打扰了”之类，大大咧咧地登堂入室。那种场合，口中一边说着“快请！”“快请！”，一边随意地给来客让座的男子不是男爵；一面夸奖“你进来的决心下得好啊！”一面为其倒茶的另一男子，也不是男爵；猛然冒出一句“你的眼睛是说谎者的眼睛啊！”让新客为之惊诧的精瘦男子，这也不是男爵。那么，男爵在哪里呢？有一男子缩成一团地坐在八张榻榻米房间的角落，在侧耳聆听大家的高谈阔论，给人似有若无的感觉，他，就是男爵。他颇不显眼，是个身高五尺二三寸的矮个男子，而且很瘦。你仔细端详其面容，也看不出有什么特别。脸色浅黑，油光闪亮，下巴留有一点胡须。既不是圆脸，也不是长脸，实在是暧昧不明；头发较长，但又没到乱蓬蓬的程度，不过尽管如此，也见不到涂抹了发蜡的痕迹。他戴着普通的铁边眼镜，很难给人留下印象。故而，访客们往往沉浸在相互间的高谈阔论之中，而将男爵的存在忘之脑后。待到他们

谈笑风生累了后，才会无意中发现在角落的男爵。“呀嗬！你还在这里呀？”一面打了个大大的哈欠一面说，

“香烟没有了呀！”

“哦！”男爵微笑着站起身来，“我也是呢，从刚才就想吸烟来着。”扯谎。男爵本是个不吸烟的人。“我去买来吧！”说着便轻松地出门去了。

所谓“男爵”说来是个绰号，他不过是北方一位地主的儿子而已。这男子在其学生时代干了两三件出风头的事，那就是恋爱、酒，还有某种政治活动，还坐过牢。曾三次试图自杀，而三次又无一成功。这个被称为男爵者的身世中，还能见得到如下倾向，那就是在人口众多的大家庭里长大的孩子所常有的那种想法，认定唯有自己是个多余的人，专门自轻自贱，慌乱而急切地到处寻觅抛弃自己毫无价值的生命之所。什么方法都行，他想早一刻成为人柱[1]告别这个世界。如可能，他想由此行动为两三个人造福。自己内心的丑恶，肉体的贫瘠，还有对生在地主家不劳而获种种权利的心虚，这些过度的顾虑，将这男子的自我击打得支离破碎，并一脚踢开，完全将其自我怪异地扭曲了。自己这个不被待见的气泡般的生命，如能对您有用的话，敬请使用！其行为近似卑贱，但那总算是留给这男子唯一的行动口号。男子依此方针来行动。不过，男子的行为表

---

1 旧时代迷信行为，指筑城、架桥、筑堤坝等时，为祈求工程顺利将活人埋入土中、桥墩下或水下作“牺牲”（活供品）。

面却多少带有一点冠冕堂皇。我是弱者的同伙，我是穷人的朋友。破罐子破摔的行为往往酷似殉教者。虽然时间不长，但该男子品尝到了与殉教者毫无二致的辛劳。顶风、破浪、冒雨，唯独这艰难可以信赖。然而，这原本是一种绝望行为。我乃灭亡之民的一个信念雷打不动，那就是想尽早死去的一个愿望。这只不过是一个在各处徘徊找寻自己的死亡之所而疲于奔命的故事。何谈对别人有利，甚至都无法应付自己而完败。他没能完美地在充当人柱的光荣之名下死成。说来人生的严峻由不得该男子个人随心所欲的奇言异行，即所谓太打如意算盘了。因为终归，人是不能变成焰火的。事实怎样不得而知，“转向”这两个字按说应该是意味着救赎和光明，而他呢，甚至连“转向”这个词汇都不配。他是残废，是破落户。他接受的并非光荣的十字架，而是灰色的无视。他不是个体面者，类似一个尴尬不堪的演员，即使闭幕前来个大亮相，幕布却永远也不闭，无奈之下躺到舞台上装死给观众看，这是紧要关头的扮丑。这，难道是作为废人唯一的工作吗？即便沦落到此等地步，他还是没能割舍掉某种“为他人”的念头。他胡乱地躺着说：“我身上倘若尚有某些可食之处，就请随意食用吧！”尚有可食之处。他是地主的儿子，每月的生活并不困难。因某种因素等于在世间败北，被指为“废人”呀，“缺德货”呀，而这样一来，正如水往低处流一般，比他贫穷的人们便大肆麇集在他的周围。于是，他们就给这男子起了“男爵”这样一个含有轻蔑含义的爱称，将该男子的家作为他们唯一的慰安所。男爵茫然地为这些来客在厨房烧饭，落寞地剥山芋皮。

他就是这样一个男子。来客中有一位在电影摄影棚工作了，这似乎成了那人的炫耀之事，他便很想请人去参观他的工作，但因其他来客都对其嗤之以鼻，不予理睬，男爵觉得他很可怜，竟然拜托道："请务必让我看一看！"男爵终究是个没有爱好的人，他虽然取得了弓箭初段，但这算不算得上爱好呢？他甚至连猜拳都不太清楚，错误地记住了剪刀比石头硬。因为是这种情形，所以对电影之类不甚了了。每天每日从早到晚忙于接待访客，其中也有的来客住下来，故而他连闲庭散步的时间也没有，偶尔没有来客的日子，那种时候他又要打扫房间的卫生，又要为所剩欠款去酒店、米店等处解释理由，无论如何也没有什么看电影的空闲。虽然他对来客讳莫如深，但由于硬着头皮举办宴席，导致他各方面看来往往相当拮据。他的无爱好，说不定并非出于时间或性格原因，而是因为他的经济状况不允许也未可知。

那天，男爵在电车上被晃荡了近两小时到了摄影棚所在的小镇，虽然是个蒿草很深的乡野，但他也不敢掉以轻心。他甚至感觉似乎从茂密的金雀花丛中马上就要蹿出一个衣着华贵的哥萨克骑兵，心态也与年龄不符，他感觉自己就是一副身披小樱花铠甲的派头，一步步满怀信心地行走。然而，他每每看到在春天的微弱阳光照射下自己落在路上的瘦弱影子，也确乎只有苦笑。从车站走了1丁[1]左右的田间小路，有一座摄影棚的正门。白色混凝土门柱上爬着常春藤的新芽，倒也有点文化氛围。正门正对面是个茅草屋顶的店铺，像是居酒屋，那就是两人约定见面的咖啡厅[2]，对方让他在那里等的。为了把那间饮食店的玻璃门撬开，他费了九牛二虎之力。因为只是吱吱呀呀地响，很难撬开，他摆出打开天之岩屋[3]的架势哼的一声一发力，玻璃门发出轰隆轰隆的声音，猛地被拉开一间[4]以上，而男爵因用力过猛，难看地向前一趔趄，悬悬乎乎地站住，以不胜汗颜的心情悄悄逃进店里。店内灰尘很厚。六七把椅子和三张桌子上都蒙上了一层白色的灰尘。他毫不犹豫地在靠近门口角落处的椅子上坐下了。待在角落，对男爵来说总是很舒服。他在那里等了很久，没有一个客人进来。起初他想，说不定会有演员进来，所以相当紧张，但由于过于冷清，男爵也吃惊非小。过了一会儿，紧张后的疲劳显现，他竟然精疲力尽了。喝了三杯牛奶，约定的下午两点早已过了，快到四点钟，在那饮食店的玻璃门已被染上一层夕阳的淡黄色时，一阵很大的轰隆轰隆声过后，一个男人像子弹一样跑了进来。

---

1 原文作「丁」，同「町」，距离单位。1町等于60“间”，约等于109米。

2 原文作「ミルクホール」，源于英语的日制外来语，指经营牛奶、咖啡、西式蛋糕等的简易餐饮店，曾流行于明治末期到昭和初期。

3 原文作「天の岩戸（あまのいわと）」，日本古代神话中“高天原”（神话传说主神“天照大神”的诞生之地）的入口，岩石建筑的屋子的石门。作者用夸张笔法形容该咖啡店久无顾客光顾，以致门都锈住了。

4 原文作「間（けん）」，日本建筑上柱子与柱子的间距，大约1.82米。

“呀！失敬，失敬！有香烟吗？”

男爵微微一笑，站起身来，从衣袋中掏出两包香烟伸手递给他：“我也是好不容易刚赶到，到这么晚实在是……”反倒来了一个莫名其妙的道歉。

“啊，算了。”对方男子轻松地原谅了他，“我也是呢！生田组的拍摄今天已开始，我忙得焦头烂额呀！”他一面说着，一面手舞足蹈地做出手忙脚乱的样子。

男爵一本正经地注视着那男子的手忙脚乱，以一种受了感动的口吻说道：

“您真卖劲呀！”他说了这样一句随意的话后，就有点后背发凉，担心自己如此庸俗的评价会不会损伤了对方作为艺术家的自豪感。“艺术的创作冲动和”，他又说了半句后断了一下，在脑中偷偷多次重新组句，总算有了头绪，后他又轻轻在口中复述了一遍，然后接着说起来，“使艺术的创作冲动和日常生活的意志完全吻合并加以推进，被认为是相当罕见的事情，是很美的。而您，看来正极其完美地将其完成。对此我羡慕不已。”这马屁拍得实在够响。男爵说完，用手帕轻轻擦拭脖筋上的汗。

“也并非如此哦！”对方男子这样说完，卑微地嘻嘻笑了，“你不想看看我们的摄影棚吗？”

男爵已经不想看了。

“那是必须的！”他强烈地拜托道，简直是死的心都有。

"All right！"男子用大得出奇的声音喊完后，"Come on！"男子又荒唐地喊了一句，从饮食店飞奔出去。男爵无奈之下只得步履蹒跚地追在其后。

那男子担任摄影导演的助手。用水桶提水、搬着导演的椅子移动等，干着各种体力活。就这样，男子似乎很得意地想让别人几个小时地观看如此姿态的自己；而男爵呢，也察觉到了男子的心态，就像傻子似的呆呆站立着，参观毫无任何兴趣的拍电影的情形。男爵眼前无聊的镜头展开了，是一个留有胡须的体面男人因饥饿连吃六碗米饭的镜头。看样子应该是一个喜剧的大笑镜头，男爵却觉得一点都不可笑。男人吃米饭，女招待小姐吃惊地喊"哇!"，就这么点场面反复排练二十多次。无论如何也不可笑，遑论大笑，对男爵来说，甚至觉得非常讨厌。日本的喜剧好像固定了一样，都有这些表现超大饭量啦；吃十个馒头撑得翻白眼啦；或者两人争夺一张纸币，一阵风吹来把纸币吹飞，两人便慌忙去追赶啦；等等场面。而观众呢，就开怀大笑，但男爵却觉得所有都不可笑，只感到凄惨。特别是留胡须那个男人的场面尤为严重，他甚至禁不住想起侮辱人格这句话。不一会儿，导演想出新花样了，说是如让那吃米饭的男人往胡须尖上粘饭粒肯定效果好，那就是所谓的新花样。扮演胡须男子的那位体面演员面朝年轻助手伸出的镜子，急于将饭粒粘到胡须尖上，但饭粒已凉透失去黏性了，故而很难粘上，大家也都发愁了。这时来了劲的导演助手走上前来说道：

“这个嘛，我们就再捻碎一个饭粒将其弄成浆糊，让他粘这个饭粒好啦！”

因为实在是荒唐透顶，男爵的身体倦怠了。突然眼角一热，竟然毫无理由地想哭了，他内心是想哇哇大叫。然而，他又不能离去，因为失礼。所以，不得不做出颔首称是的模样严肃地点了点头，仍旧继续看下去。

那个拍摄总算告了一段落，男爵简直有死而复生之感。连滚带爬般地跑出了摄影棚，长长地舒了一口气。天已经大黑了，群星发出暗淡的星光。

“小新！”身后有人低声这样招呼，男爵回头一看，却是刚才那位身材短小的小姐，她是给体面男子做过女招待的，在刚才的拍摄中她曾发出二十多次“哇！”的惊叹声，她的笑脸在黑暗中泛出黄色。“小新！您一点都没有变啊！我刚才看了一眼，老早就认出您了。不过，考虑到正在拍摄，所以没打招呼，请多原谅啊！”她一口气说了一大通，然后突然变得拘束起来，“真的是久疏问候啦！您府上的各位都好吗？”

男爵勉强想起来了。

“啊，阿富，是阿富啊！”男爵惊慌失措，甚至都带出来点乡下方言。十年前，阿富在男爵家当女仆，是他刚上高中的时候。暑假回乡时，有个瘦小、鬈发、目光十分严厉的十六七岁的小女仆，因为她过于亲切地想照顾男爵的身边琐事，男爵反而觉得有些厌烦和讨厌，曾经事事刁难虐待她，甚至命她将爱犬身上的跳蚤一只不剩地捉出来。是不是在他家里工作了有两年啊？忽然间就不见了，男爵只是想了想：不在了啊，也没有更多留意。就是那个阿富。男爵打了个寒战，感到一种不愉快。固然还不能说到了怒发冲冠的程度，但身体感到一种异样的木然，委实是一种畏惧之感。似乎像深山里的精灵让他切身感受到人生冷酷的恶作剧，感受到奇迹的可能性，感受到严峻的报复来到眼前。他变得语无伦次，声音嘶哑，自言自语了一句完全没有意义的“欢迎啊！”几个字，这或许是不断被访客烦恼着，久而久之形成的口头禅吧。

对方女子也多少有些兴奋的样子，她并不介意男爵那白痴般的随口呓语，说：

“我才应该欢迎小新的啊。我呢，是想好好和您说说话的，但现在太忙，啊，对了，九点吧，我在新桥车站前等您。有一小会儿时间就行了，那什么，真真地拜托啦！虽然您可能不愿意，但是，真的。”她一面留神四周，一面语速很快地低声恳求，态度很认真，而男爵又不是个受人拜托会拒绝的人。

“啊，可以，当然可以。”

离开摄影棚，身体被电车摇晃着，男爵极为不愉快。和原来的女仆在新桥车站约会这件事，他感到极为低级下流，寡廉鲜耻，甚至感到是一种乱伦。是去还是不去？他相当迷惑。决定去了，男爵不是个硬气到可以满不在乎地爽约的人。

九点，在新桥车站找到了小小的阿富后，男爵一言不发，只是飞快地走着。阿富一面几乎像跑一样地跟在后面，一面一再窥视他的脸，漫无边际地发出各种问话，主要是关于家乡那边的事情。男爵已八年没回老家，所以对故乡的事全然不知。因此，耐着性子颇为漫不经心地用“哼”“哈”来回答，但最后实在厌烦，连英语的As you see都蹦了出来，男爵已经想尽早和她告别了。就在此时，阿富说起了莫名其妙的话：

“我呢，什么都知道呀！关于小新的事。我，听说了。小新，您没有做一点坏事啊！您是优秀的呀！我打从前就一直相信的。小新是个好人呀！您真是受苦了！我从各处的人们那听说的，全知道啊！不过，小新，拿出勇气来，啊！您不是败了。如果说是败了的话，那是败给神明了！小新您想成神，那是不行的。便是我也吃了苦了，我对小新的心情也很理解。小新在某一个瞬间，经历了作为一个人最深重的痛苦呀！您可以大大地自豪。我相信，是个人谁都会有缺点。小新，您做了相当好的好事。不要不好意思呀！可以有自信地要求理所当然的礼遇呀！小新，无论如何，您是个优秀的人。因为我在污浊的世界里，所以对那些事是非常理解的。”

男爵似乎在梦中。这个女人想干什么？他试图强行拒绝阿富莫名其妙的私房话，甚至在如此隐约可知的爱的欢愉上，无边的挫败感也使该男子成了悲惨的性无能者，爱的阳痿者。被强行驯化了的自卑，使他简直近乎白痴，成了二十世纪的妖怪，带有青色胡茬的怪异婴孩。

被阿富咚的一声推了一下后背，他踉踉跄跄地进了资生堂。二人在包厢相对而坐，别的顾客时不时地偷窥男爵。不是看男爵，看那种瘦弱青年的样子毫无任何乐趣。是在看阿富，她是相当有名的女明星。正因为男爵是个没有业余爱好的人，所以全然不知。他对人们放肆的目光非常生气，便板起面孔。

“你瞧！你戴着那种缀着什么鸟儿羽毛的帽子，所以大家不是笑着吗？不成体统呀！我最喜欢女人穿着铭仙绸和服的样子。”

阿富笑着。

“有什么好笑的？你变得怪怪的。不知天高地厚啦！刚才我默默地听着你说话，你越加来劲，还说出刚从女性杂志上看来的装腔作势的语言。我，没想请你这样的人来安慰我。女人还是应更像女人为佳。不愉快！我要回去了。其他也没有什么话了吧！”说话间便感到一种原因不明的强烈屈辱。真是个不懂礼数的丫头，想拿我当玩伴，被你这丫头消遣怎能受得了？他嗖地站起身来，急忙独自走出资生堂。阿富沉静地以母亲般的微笑望着他的背影。

二

男爵出了资生堂，直接回到了郊外的家。从郊外那小站下车后，男爵才总算缓过气来得到解放。首先为没受伤舒了口气，暗暗表扬自己有勇气的态度，有点陶醉。接着，在站前的香烟店里买了十包给访客抽用的“蝙蝠”牌香烟。这种男人对露骨地辱骂他的人心悦诚服地服务，而对温柔体贴他的人却大摆架子，盛气凌人地将其驱散，就这样摆出一副超脱的架势。然而，当夜，男爵到底还是油然忆起自己的故乡而在被窝里辗转反侧了。

——我还是在为我的成长而自豪。虽然我也有某种微词，但我仍然为我的家庭而自豪。那是个严肃的家庭，如现在我手头有全家福纪念照之类，我都想将其装饰在壁龛里。人们见到它一定会钦羡我的。那个瞬间我将会多么得意呀！我一定会夹杂着些许夸张来讲述那个大家庭每个成员的卓越、优雅、诚实、恭俭，将听者忍住哈欠而盈眶的眼泪误认为是感动的泪水，而仍然不厌其烦地对听者喋喋不休。不过到最后，听者终于忍不住抛出一句悲鸣般的“诚然，你很幸福。”来打断我的自卖自夸，然后发出一句质问：“可是，这张照片上没有你，这是怎么搞的呀？”

对此，我回答道：

“那是理所当然的。因为我做了两三件坏事，没有进入这张照片的资格，那是自然的。我呀，是怎么也没有那个资格的。”

现在，我也还是如此这般，我的家人也认为那小子我行我素，谎话连篇，放荡不羁，要让他更多地吃些苦头。即便很艰辛，大家全都默默看着吧！那小子本质上并不是个坏孩子，不久以后一定会醒悟过来的。他们相信这一点，就这样在等待那一天的到来。我呢，对此心知肚明，因此，即便每个夜晚都在了无生趣地煎熬，还是竭力地告诉自己：黑夜接下来就是早晨，黑夜接下来就是早晨，而好歹努力地设法活下去。三年后，我也一定会被允许站在那照片的一角。我因身体不好，或许在请求家人允许我进入照片之前就已经作古也未可知。那时，我的家人们会在那张全家福纪念照的右上部，拍上一个我的笑脸照，一个白色花环围绕的我。

但是，那或许是三年，不不，五年十年后的事情了。在乡下，我肯定是个名声相当坏的男人，所以，即便家人全都想原谅我，恐怕也有很难办到的情况。如果突然发生了我不得不背着坏名声就那样回乡的情况怎么办啊！我本人姑且不论，我的家人们要比我本人心里更加难受啊！去年秋天我姐姐去世，家里没给我任何消息，我想这也难怪，我毫无怨恨。但是假设——我说的是假设，虽然这根本不可能，是个极不严肃的比喻——假设母亲去世了怎么办啊？或许我会得到通知，但即便不通知我，我也必须忍受，对此我有思想准备，并不感到怨恨。然而——我也仍有打如意算盘之处，我也想到说不定会通知我的。那样，我就会被召回故乡。我已近十年没见故乡了。即便想偷偷去看，也不会被允许。这是肯定的，不过，要是母亲那种情况，我被召回故乡，那时，会有怎样的情形发生呢？

我想考虑一下这个问题。

电报到，我没辙了，在屋内转来转去，万分作难。或许难到发出呻吟。因为我没钱，动不了。我的访客们比我还穷，全是如此这般过着苦日子的，因此，即便这种场合我也高低不能向他们张口，就连告诉他们我都感到痛苦。在那种关键时刻都帮不上忙，访客们一定会比我更加痛苦。我不想让访客们丢这种无谓的脸，那对我来说反而是苦上加苦。我忽然想：去死吧？这件事与其他事不同，是遇上母亲的大事，如果这样放荡不羁的话，那无论如何也没有做人的资格。我想，已经完蛋了。那时，电汇到了，是大嫂打来的，那是肯定的，三十日元。我当时需要五十日元，不过那太贪心了。五十日元是一笔大钱，有五十日元的话，某个五口之家足足可以开心地生活一个月；甚至都足以将某处身患接近失明的重症眼病的女孩医好。估计大嫂也想多汇一点，但大嫂自己的经济状况也并非充裕到能随心所欲地用钱，肯定是尽了最大限度的努力。而且，纵然能够多汇，眼前又有很多近亲在场，众目睽睽之下也有种种人情义理方面的难言之隐，所以，我嫌三十日元少那是毫无道理的，我一定会对三十日元合掌叩拜的。

我为服装问题发愁。我的理想是碎白点花布和服外套外加斜纹哔叽裤裙。学生气质的服装一定会使我的家人们最为放心。要不就穿极其素净的西装，这种场合必须极力避免带色的衬衣、红领带之类。我现有的衣服只有那件肥大的裤子和鼠灰色的夹克，连个帽子都没有。我今夜就是这身穷画家或油漆匠打扮在银座喝茶来着，如果我不换装而以这身打扮出现在故乡，那家人们就会羞得悲痛欲绝了吧？我为服装而困窘。于是，下了一个奇妙的决心——借衣服。因为我属于比常人身高低的类型，所以，这种场合每每感到不便。说来好笑，和我一样身高的人在日本只有一个，那不是访客，而是常对我的荒唐行径提出忠告的唯一诤友。这位好友比我还穷得多，虽然有一套西装，但多半不在他手边，而是寄存在外。我带着三十日元跑到那位朋友那里，简单地说明原委，花十日元把西装从寄存处取回，然后衬衣、领带、帽子、最后连袜子也都从那位朋友处一起借来。就这样，行头总算弄齐全了。也就不讲究什么合身不合身了，能搞到平常的服装就谢天谢地了。我的头很大，灰色的软帽只能孤零零地扣在头顶上，其样子惨不忍睹。西装是素蓝色，黑领带，嗯，就算是普通的服装吧。我慌忙地赶往上野站，至于土产礼品就决定免了。我的侄女、外甥、堂兄弟姐妹们人数众多，但全都对高档的土产礼品司空见惯了，即便我悄悄给人家一本画册，那也只能落下个可怜我太寒酸的结果；再者说，倘若母亲她们出于某种人情义理方面的理由声言拒收，出现驳了我面子的事态，那就更要命了。故我决定不买土产礼品了，买了车票上了火车。

到了故乡，见到差不多十年未见的乡村风物，说不定我会边走边哭。重新打起精神进了家门，连个箱子都没有提的落魄相使我感到不堪忍受。家中有点昏暗，鸦雀无声。一定是大嫂最先发现我，我的感觉已经是如坐针毡了。我必定是面无表情，傻子一样猛地矗在那里，大嫂脸上诚然露出恐怖的神色：站在这里的这个脏兮兮的中年汉子果真是我的小叔子吗？是口齿伶俐地口口声声叫我“阿姐！”“阿姐！”那个瘦骨嶙峋的高中生吗？令人作呕，令人作呕。眼睛黄而浑浊，毛发稀疏，额头黑红且粗俗地闪着油光，嘴唇、面颊、鼻子……大嫂会因过于恐惧而浑身颤抖。

母亲病卧的房间。这也是困惑之事，简直超乎想象。我的空想肯定凄惨地猜中，可怕，不可想象，这里就避而不谈了吧。

我从母亲房间溜出来的时候，已经出嫁、排行紧靠我的姐姐[1]也悄悄跟了出来。

“你回来得好啊！”她用很低的声音那样说道。

我恐怕轻易地就呜咽起来了。

只有这位姐姐不怕我，她会一直站在走廊等我停止哭泣，静静地等着我。

“姐姐！我是个不孝之子吗？”

——男爵想到这里，便将被子蒙在头上，流下了久违的眼泪。

1　假设本作品带有作者一定的自传性质，那么，这里的“姐姐”按说指的是太宰治的四姐きやう，生于明治三十九年（1906），比太宰治大三岁。

一点点地在变化。说起来，他是一点点变为红黑色散文般的俗物的。那并非由于人的主观意志而引起的变化，也不是一觉醒来，由于目击了某个偶然事件而发生的变化。大自然的阳光、五年十年的风雨，使他疲惫的身体一点点地肥胖了。就像一株植物，与其春季开花、秋季叶子变红十分相似。敌不过大自然——他时而如此自语，然后丑陋地苦笑了。不过，他固然坦率地察觉自己全盘皆输、输得干净彻底，但却偶尔奇怪地感觉到自己身边有一股清新的氛围。他那样漠然认为，做人，是从这里开始的吧？然而，眼下的他却毫无任何线索。

最近，就连他自己也确乎对接待访客开始感到为难了。虽然他老老实实地侧耳倾听着他们每夜的谈笑，但有时也产生一种实在忍无可忍的情绪。对于访客们被低三下四所扭曲了的利己主义和今朝有酒今朝醉的怪异虚荣，他没有谴责的心绪。他解释为一切都是因为软弱。他觉得，这些人全是对本身所怀的深爱无以宣泄，如此一来在世间既软弱又笨拙，无处可去，因而来到我这里的。他们很可怜，哪怕只有我一个也应该亲切地款待他们。然而，最近他猛然冒出某种疑念，那就是不知为什么这些人不劳动这种朴素的疑念。倘若是求职而不得，那时也可以进行无偿的工作嘛。即便很笨拙，努力才是正理。世间很严酷，你无所事事，则无论如何也无法维持生计。生活的基本要素里面有着这种质朴的命题，思考、审美、寒暄，全都是在这个前提下进行。故而，如此这般夜复一夜、一成不变地懒散而卧，光是相互进行虚荣的寒暄，难道不是相当愚蠢、盲目、傲慢而浅薄的行为吗？即便比这些人有着更高洁的灵魂，更加才貌双全的人们也都在为一项小小的工作而终生鞠躬尽瘁。那位电影导演助手在这伙人中间最正确。大家嘲笑他，就连我也对他卖劲工作很感厌烦，这很不好。卖劲这个词汇，并非低级下流，也非滑稽。聚集在我这里的人们全都贫穷而懦弱。然而，一个时代的这种社会思潮却使这些人变得出奇地娇气，并使他们变成令人不愉快的事物。现在的我，究竟有没有亲切地款待这些人的余地？即便是我，现在也同样贫穷而懦弱，与他们无二。而且，眼下中产阶级意识形态的腐化堕落还只是残留在被过去世间思潮所溺爱而孕育出来的所谓“公民席佩尔”[1]们之间，故而灭亡的中产阶级们反倒抛弃了颓废意识，在一点点重新奋起。因此，现代正在呈现出一种更加复杂而微妙的风貌。神未必因为你弱小贫穷就爱你，因为其中也有撒旦。强悍之中也有善的存在，神反而会爱之。

虽如此思考，他也还是个无聊的汉子。没有信心，不能拒绝访客们，他害怕。有一句话叫“如果杀了和尚的话”[2]。他甚至感到，哪怕拒绝弱小贫穷者一次，那做出拒绝的手指尖便会

---

1 这里的“公民席佩尔”是德国作家施特恩海姆（Carl Stemheim，1878—1942）书中的主人公，作者以讽刺的笔调描写了一个无产者上升为小市民的故事。

2 原文作「坊主殺せば」。在日本某些地区有「坊主を殺すと7代祟られる。」（杀和尚的人，七代要受其鬼魂作祟）以及「坊主と猫を殺すと7代祟られる。」（杀和尚和猫的人，七代要受其鬼魂作祟）的迷信传说。

开始一点点腐烂，并且还要被作祟到七代以后。到头来，他就一面被顺顺溜溜地牵着走下去，一面在等待着什么。

三

阿富来信了。

坂井新介先生：

三天前我到沼津的大海来拍摄外景。当我凝神注视浪花时，必定想喝柠檬水；当我看到富士山时，必定想吃栗子羹。我心里有苦，以致必须说上这样几句言不由衷的诙谐话。我也已经二十六岁，与您分别将近十载啦！我相当用功地学习，但一事无成。今天细雨蒙蒙宛若薄雾，拍摄停止，隔壁房间里大家正在欢闹。或许女演员这个行当不适合我。想跟您见面，我请了三天假：十六号、十七号和十八号，这三天哪天都可，请新介先生选个方便的日子大驾光临。如果能索性光临我肮脏的寒舍，我将会多么高兴啊！我将来寒舍的略图画在另一张纸上了。提出这样的不情之请，我羞愧得心烦意乱。字不工整，内心很感不安。终身大事，务请帮我拿拿主意，因我也没有其他能拜托的亲属了，明知厚脸皮，拜托您啦！

阿富

最近从副导演S先生那里听说了，说是您有个绰号叫“男爵”，真好笑！

男爵在被窝里看了信。首先，他笑了。因为他感到怪得出奇。阿富也像城里的摩登小姐一样，用这种怪里怪气的语言写信，对此他感到十分稀奇，一时之间笑得停不下来。然而，猛然间他变得严肃起来。别人给他什么他可以断然拒绝，但被别人拜托却说不出个“不”字，这是这种人物的宿命。男爵看了看另一张纸上的略图，她家在离摄影棚两站路的地方下车，得去呀。男爵心情变得黯淡，快快不乐地起了床，今天十六号，他想马上出发，把这件事了结。越懒的人，似乎就越想尽快把眼前的挂心事办掉。

下了电车一看，这里是比摄影棚那小镇更加偏僻的乡野。一望无际的麦田，麦苗已有五六寸高，柔和的绿色就像溶化了一般，没什么业余爱好的男爵想：这大约就是所说的翡翠绿了吧？走了五六分钟，马上就找到她的家了。是个相当摩登式的建筑，男爵大吃一惊。按了门铃，女仆出来。男爵感到阿富很浅薄：真是个荒唐的丫头啊，即便当了演员，也毫无必要如此摆谱嘛！

“我是坂井。”

打扮得花里胡哨、剃光了眉毛、面色青白的女仆点头说了声“啊”，显得很懂行似的微微一笑，谦卑地引领入内，几乎同时，阿富身穿铭仙和服出现在玄关。

男爵似乎没有注意到那铭仙，气哼哼地说道：

“说是有事，什么事？不要给我写那种信嘛！即便是我，也是很忙的呀！”

“抱歉！”阿富恭恭敬敬地鞠了一躬说，“欢迎光临！”脸上甚至露出深深的感动。

对此，男爵往下点了点下巴回答道：

“你这房子不错嘛！哎呀！院子也好大呀！这么大，房租也很贵吧？”有名的女演员是不租房的，这是阿富靠自己挣钱造起来的房子。

“图虚荣吗？哼！还是不要勉强为好呀！”男爵做出煞有介事的表情这样说道。

被带入客厅，他便受邀帮阿富就其终身大事拿主意。到今秋，阿富和现在的公司所签合同将期满，加之今年即将二十六岁，她便想借此机会不再做演员了。在农村的二老压根就对阿富不抱希望，不管阿富怎么邀请父母来东京的家，父母就是割舍不下农村那点水田旱地，高低也不到东京来。她有个弟弟，这小子不顾父母反对，六年前跑到姐姐阿富这里，眼下在上私立大学。下一步怎么办才好呢？就是这件事，阿富要请男爵帮助拿主意。男爵简直是目瞪口呆，他怀疑阿富是不是变成傻子了。

“开玩笑你也得有个分寸！”因为过于荒唐，男爵甚至都产生了警惕，说话带上几分一本正经，“究竟什么事算终身大事？你现在不是很有身份嘛！我还特意大老远赶过来，该怎么问才好呢？乡下的人们对你不抱希望，井水不犯河水，那不挺好吗？你弟弟不管怎样是个男子汉，总能混得下去的，你没责任。以后就是你的自由了。瞎闹什么？太荒唐了。”男爵不高兴极了。

“嗯，那什么，”阿富怅然笑笑，说话有点吞吞吐吐，但立刻抬起脸，“我呢，正在考虑要不要结婚呢！”

“行吧。与我无关。”

“是，”阿富惊恐地缩回头，“那什么，关于这个问题——”

“有话痛痛快快说就是，你究竟把我当成什么人了？从前你就有这个毛病，烦人地管我这管我那，这很不好啊！我只能认为你在拿我开玩笑。”男爵气得要死。

“不，绝不是那样的。”阿富竭力否认，“求求您，能不能替我说服一下我弟弟……”

“让我来说服？说服什么呀？”

阿富就像走投无路似的，默默地望着窗外刚长出嫩叶的樱树。男爵也跟着她望了望樱树，愁眉苦脸的样子。阿富耸了耸肩膀，现在或许是听天由命了，她用不动感情到可怕程度的语调，滔滔不绝地说了起来。说是阿富弟弟动不动就拿出理由不赞成她结婚。她弟弟虽然上着私立大学的预科，但有点学坏了，前些日子因为打麻将赌博被警察抓起来过。还说“我的结婚对象是个相当认真正派的人，要是以后我弟弟对他干出什么出格的事，我就没法活啦”！

“那是你任性，自私。”阿富话没说完，男爵大声插言道。觉得女人自私任性很浅薄，他竟然奇怪地有点可怜她弟弟，甚至感到义愤，“过分自私！你是个混账丫头，大混蛋！你以为你是什么！”男爵近来还从没这样生气过。在怒骂发泄之间，他甚至感到体内有了一股奇异的力量，似乎自己的身长高出一尺了似的。

对男爵怒气冲冲的气势，阿富紧张得嘴唇都变得苍白，她轻轻地站起身来，用几乎听不到的低声断断续续地说道：

“那什么，反正对我弟弟要……”然后一闪身从屋子里跑了出去。

不觉原封不动地拿出十年前叫惯了的腔调喊道：“喂！我说阿富！与我无关！”真是闹哄得不亦乐乎。

门无声地开了，一个大眼睛、面孔浅黑的青年探头悄悄窥视屋里，男爵马上加以盘问：

“喂！小子！你是谁？”本来男爵并不是对陌生人用这种粗暴口气说话的。

青年一脸正经神情，大模大样地静静走进屋里：

“您是坂井先生吗？我在家乡见过您一次，我想您可能忘记了。”

“啊——你是阿富的弟弟吧？”

“嗯，是的。说是您有话对我说……”

男爵下了决心：

“有啊！当然有！不过有言在先，我现在非常不愉快。实实在在，的的确确不愉快！你姐她，是个混蛋呀！我和你一伙。我的性子不喜欢藏着掖着，全给你说了吧！你姐说是最近想结婚，据说对象是相当优秀的人。哎呀，这是大好事，很好嘛！和我无关。不过，剩下来的事情就不好了，有点卑劣，妨碍了无辜的你。我相信你，看一眼我就明白了。你们学生，不，便是我也一样，只是迷失了努力的方针。不，只是丢失了其表现而已。做学问不是做不下去吗？这只不过是社会不能理解隐藏在你们心中的诚实罢了。你姐姐不要你，到我这来！咱们一块干！没什么！便是我也不打算永远彷徨下去的。我还没受过如此无谓的侮辱，硬要我给女仆当跑腿的，怎能受得了？不说别的，头一桩，那个作为对象的男人也太不争气，老婆的一个弟弟都养不起，打算怎么办？”

“不，我呢，”青年没有改变站立的姿势，斩钉截铁地说，“我不想让别人养活。我只是受不了把我当成污秽的东西加以疏远的想法。便是我，也是有理想的。”

“对，当然不错！总之那小子不是个好男人！”男爵这样说完，有点结结巴巴了，“不管怎么说，与我无关。随她的便吧，你就这样对你姐说：我非常不愉快，我要回去了。把我当成什么人了！不，我回去了，你就这样说，她要是嫌弃你这个弟弟，由我收留。”

“对不起，”青年挡在要走的男爵前面，“养活呀，收留呀，我认为那种问题太陈腐了，别的不说，您有养活一个人的余地吗？”男爵大吃一惊，禁不住重新审视了一下青年的脸。“当务之急难道不是对自己的行为做好觉悟吗？与其谈救济别人，莫如请先救济一下自己！然后，将这个结果展示给我们，哪怕是做了很不起眼的事情也好，我们将尊敬您。不管多么微不足道，我相信个人的努力和力量。单纯、淳朴、强有力地重塑以前被打得支离破碎、沉沦于浑沌之深渊里的自我意识，成为我们的最新理想。现在还侈谈什么自我意识过剩呀，虚无呀这些貌似高尚词句的人，那确实是无知。”

“哎呀！”男爵发出一声近乎欢呼的叫声，“你，你清楚地那样认为吗？”

“不仅是我。人的心中有比阿尔卑斯山还要险峻的难关，正在为征服它而竭尽全力。我们将做到了这一点的人用‘个人英雄’来称呼，比尊敬拿破仑还要尊敬他。”

来了！一直等待的人来了！一个新的、全新的下一代一点点显露出来了。男爵百感交集，一时间竟然连话都说不出来了。

“谢谢！那很好。太好了！我一直在等待着你们的出现。被称为老好人而嘲笑，被称为混蛋而责难，被称为废人而轻蔑，我都默默忍受着在等待。我是多么殷切地一直在等待啊！”

说话间热泪都快要溢出眼眶了，所以便慌忙跑出了屋子。

男爵就那样逃也似的离开了阿富家之后，青年一屁股坐到客厅的沙发上独自笑了。阿富悄悄打开门走进来。

“行动结果正合吾意。”这位不良青年对着天棚吐着烟圈，“相当好的人嘛！我也喜欢他。姐姐！你可以结婚呀！太辛苦操劳了。十年之恋，终得报偿。”

阿富含着热泪轻轻向弟弟合掌致谢。

男爵呢，对一切毫不知晓，以猛烈的劲头回到家里，暂且没什么事可干，一番思忖的结果，在家的玄关处贴了一张纸，上书“忙中谢客”。人生的出发点常常是很简单的。先试试吧！惨局之后，春天也会到来，得想个办法收回樱桃园。

《关于爱与美》，昭和十四年（1939）五月

叶樱与魔笛

那位老夫人讲故事说：

“樱花已谢，一到樱树像这样刚吐嫩叶的时节，我必定要回想起来。”——那是距今三十五年前，当时家父还在世，我的一家，说是一家，但母亲在七年前——我十三岁那年已仙逝，家里只剩下父亲、妹妹和我三人。家父在我十八岁、妹妹十六岁时作为一所初中的校长来到岛根县日本海这边一个人口两万多的小城[1]，因没找到合适的房子，便在一所寺院里租了两间房，那寺院地处郊外山麓、孤零零地建在那里，我们租的房子又离正殿很远。我们在那里一直住到第六年父亲调到松江[2]中学为止。我结婚是搬到松江以后的事了，是我二十四岁那年的秋天，在当时算是相当晚婚了。因为母亲很早便抛下我们故去，而家父又是一个古板顽固的学究气质，对世俗之事几乎一

1　原文作「城下町（じょうかまち）」，从战国时代到江户时代，以大名（诸侯）居住地为中心发达起来的城镇叫“城下町”，本作品没有交代具体是哪个小城。

2　松江：岛根县东北部一个市，是县厅所在地。据译者主观臆断，《古事记》中很多神话的舞台都是岛根县的出云，本文中姐姐强调神明存在，或许与此影响有关。

窍不通。所以，我明白如果我不在了，家事的料理肯定会一塌糊涂，因此，尽管以前有些提亲，但我没有产生宁可丢下家里也要外嫁的念头。只要妹妹身体健康的话，至少我也能轻松些。但妹妹并不像我，长得很漂亮，长发飘逸，学习用功，是个可爱的孩子。不过身体很弱，父亲到小城赴任的翌年春天——我二十岁、妹妹十八岁时，她早夭了。这就是发生在当时的事情。妹妹从老早就已经不行了，是肾结核这样一种很厉害的病，说是发现时两肾都已坏死。医师清楚地对父亲说："活不过百日了。"据说无论如何也无计可施了。一个月过去，两个月过去，眼看百日即将到来，可是我们只能默默坐视。妹妹呢，一无所知，还比较精神，虽然整天躺在床上，但却是爽朗地唱歌说笑，对我撒娇。一想到再过三四十天她就要千真万确地和我们阴阳两隔，我异常难受，痛苦得心如刀绞，都快要疯掉了。三月，四月，五月，对！五月中旬，我忘不了那一天。

野外群山都染上了新绿，风和日丽，简直让人都想脱光衣服。我呢，眼睛被新绿晃得刺疼，便独自一边千头万绪地想心事，一边把一只手轻轻地插进和服带里，低着头走在野外的小路上。我痛苦地扭动着身体想啊想，全是苦事，一时间都快要窒息了。我边折腾边走着，咚！咚！从春天的土地最深处传来一种幽静但却音域极广的恐怖声音，简直就像在地狱底下猛烈地敲击偌大的大鼓一般轰隆作响，宛若来自极乐世界。我不知道那可怕的声音是什么，感到自己是不是疯了，就那样吓得呆立不动，身体僵住，突然哇地放声大哭，站都站不住，便一屁股坐在草地上放大胆子大哭起来。

后来才知道，那恐怖的怪声原来是日本海大海战[1]中舰炮的声音。东乡[2]提督一道命令，为一举歼灭俄国波罗的海舰队大战方酣，正是在那个时候啊。今年也快到海军纪念日了。那个海岸小城的人们听到这令人惊恐的炮声或许都了无生趣了。我呢，并不了解那些，只是满脑子都装着妹妹，几乎处于半疯魔状态。我感到那就是某种晦气的地狱大鼓声，坐在草地上一直在哭，很长时间没有抬起头来。太阳快落山时分，我硬撑着站起身来，死了一般呆呆地回到寺院。

"姐姐！"妹妹招呼我。当时妹妹也很瘦弱无力，她自己似乎也隐约知道自己已来日无多，不再像以前那样动辄给我出难题撒娇，这让我心中更加酸楚。

"姐姐！这封信什么时候来的呀？"

我吃了一惊，清楚地意识到自己万箭穿心，脸上失去了血色。

"什么时候来的呀？"妹妹似乎很天真，我呢，恢复了镇静说道：

---

1 指明治三十八年（1905）5月27日到次日日本联合舰队与帝俄第二太平洋舰队在日本海对马海域进行的海战，此战俄国舰队几乎全军覆没。

2 指在前述海战中，担任日本联合舰队司令长官的东乡平八郎（1847—1934），海军大将、元帅，曾任军令部长等职。

“就在刚才，你睡着的时候。你呀，笑着睡来着呀，我是悄悄放到你的枕边的，你不知道吧？”

“啊！不知道。”妹妹在暮霭迫近的微暗房间里，显得白净可人，美得如花似玉。她笑着说：

“姐姐，我看了这封信，奇了怪了。那人我根本不认识呀！”

怎么可能不认识？我知道发出那封信的男子名叫M·T，了解得很。不，虽然没有见过面，但我五六天前悄悄整理妹妹的橱柜，当时发现有一捆信用绿丝带捆着藏在一个抽斗深处，虽然这样子不好，不过我解开丝带把信看了。信，约有三十封左右，全是M·T先生写来的。然而，信封上并没有写M·T的名字，而是清楚地写在信中。就这样，信封上的发信人写着形形色色的女人名字，而且都是实际存在的妹妹朋友的名字，因此我和父亲就是做梦也没能察觉她和男人有如此多的信件往来。

一定是M·T这人小心谨慎，事先从妹妹那里问来很多朋友的名字，然后一封接一封地用有数的名字作发信人把信寄过来的吧。我认定是这样，很为青年人的大胆而咋舌，同时也吓得浑身发抖，心想若是被严厉的父亲发现，将会闹出多大的乱子啊！不过，随着按发信日期一封封看的过程中，就连我也感到愉快而喜不自禁起来，时而为信中的极端幼稚而独自窃笑，最后还感到偌大的世界在自己面前渐渐开阔起来。

当时我也是刚刚二十岁，有着年轻女性的各种难言之隐。那三十来封信，我就像山谷里的小溪流水一样顺畅地读了下去。当读到去年秋天最后一封信时，我不由得站了起来。说不定被雷电击时就是那种感觉吧？我大吃一惊以致吓了个倒仰儿。因为妹妹与其男友的恋爱不仅是精神领域了，已发展到干出丑事的程度。我把信一封不留地全部付之一炬。M·T似乎是个住在城里的穷歌人，此人卑鄙的是了解了妹妹病情的同时，便抛弃了妹妹，甚至在信里也满不在乎地写道“相忘于江湖吧！”这样残酷的语句，并且自此之后，看样子便一封信也不来了。这一点，只要我不对别人说，那么妹妹便仍可以一个美丽少女的身份死去。我将苦楚埋在心中，但知道了此事实后，我更加可怜妹妹，脑中也浮现出种种奇怪的空想，我自己是内心阵阵刺痛，不脱稚气却又感到烦人的忧伤，那种苦楚简直就是活地狱，非妙龄姑娘是不能理解的。仿佛我自己遭到那种厄运一般，我独自品尝着苦酒。当时我自己也真的有点不对劲了。

“姐姐，请你念念吧！我全然不知怎么回事。”

我从心底恼恨妹妹的不诚实。

“可以念吗？”我这样小声问道，我从妹妹手里接过信，指尖颤抖，不知所措。其实无须翻开信纸念信我也清楚信里的语句。但是我必须用若无其事的表情来念信。信是这样写的，我没有好好看信的内容便出声地念了起来。

——今天我向你致歉。至今为止我一直忍住不给你写信的原因，全是因为我缺乏自信。我贫穷而无能，因为我什么也不能带给你，只能用语言——这语言没有一点掺假——来证明我对你的爱，除此之外我百无一用，就连我自己都讨厌我这种苍白无力。我，一天也没有忘记你，不，就连在梦中我也没有忘记你。然而，我什么也不能带给你。是因为这一点让我苦不堪言而想和你分手的。你的不幸越大，我的爱越深，我就越碍难接近你。你明白吗？我绝不是在蒙骗你。我把这理解成源于我自身良知的责任感，但那是我的错，我的的确确错了，我给你赔礼。我只是私欲膨胀，想在你面前做一个完人的。我俩孤寂而无力，一无所能，我现在相信，哪怕只有诚心诚意的赠言，那才是真正的、谦卑而优雅的生活态度。我常想应该在自己力所能及的范围内，努力把这件事完成。不管多么微小的事情都行。我相信，哪怕是赠送一朵蒲公英的花，也绝不感到羞耻地奉献出来，那才是最有勇气的男子汉态度。我已不再逃避，我爱着你。每天每天我都作歌送给你；还有，我每天每天都在你家院墙外吹口哨给你听。明晚六点，我将即刻为你吹奏《军舰进行曲》[1]。我吹口哨的技术很高呀！眼下，只有这一点是用我的力量能轻易做到的奉献。你不要笑我，不，请你笑话我吧！

1 原文作「軍艦マーチ」，又称「軍艦行進曲」，由日本博物学家鸟山启（1837—1914）作词。1893年他的《军舰》一歌被收录入日本小学教材《小学唱歌》，原为山田源一郎作曲；1900年，被横须贺海军军乐队兵曹长濑户口藤吉（1868—1941）改编成进行曲。至今仍为日本海上自卫队指定礼仪曲，于特定几种场合演奏。

请你打起精神！神明一定在某处看着我们，我相信这一点。你我都是神明的宠儿，我俩一定能喜结良缘。

等待复等待，
喜看今岁鲜花开。
怒放是桃花，
只说桃花白一片，
满陌嫣红报春来。

我在用功学习。一切都将会顺利。那么，明天见！

M·T

“姐姐！我知道呀！”妹妹用清晰悦耳的声音自语，“谢谢！姐姐！这信，是姐姐写的啊！”

由于过于害羞，我恨不得把那封信撕成碎片、乱薅自己的头发，坐立不安大概就是指这种场合说的吧。信是我写的，我是看不下去妹妹的苦楚，便打算从即日起模仿M·T的笔迹写信，作拙劣的和歌，并在晚上六点钟悄悄到墙外吹口哨，直到妹妹去世之日。

羞愧，甚至作出拙劣的和歌样的东西，很羞愧。我当时的心情是对一切都不管不顾了，也就没能立即回答妹妹。

“姐姐，您不必担心啊！”妹妹出奇地沉静，很优雅地笑了，甚至令人感到很高尚。“姐姐！您看了绿丝带捆着的那些信了吧？那些都是我胡编乱造的。我太孤寂了，所以从前年秋天便独自开始写那种信，然后投入邮筒寄给我自己。姐姐，您别笑话我啊！青春这东西相当宝贵啊！我生病以后清楚地明白了。自己给自己写信这种事，很不成体统，浅薄，愚蠢。我要是真的和男人大胆地玩玩倒好了，我想让男人紧紧拥抱我的身体。姐姐，至今为止我和外面的男人连话都没有说过一次，更不要说什么恋人啦！姐姐您不也是这样吗！姐姐，我们都错了，聪明过度。唉！什么死亡，我讨厌。我的手，我的指尖，我的秀发可怜啊！什么死亡，讨厌！讨厌！”

我百感交集，不知究竟是悲伤？是恐怖？是喜悦？还是害羞？我将自己的脸紧紧贴到妹妹瘦削的脸颊上，轻轻地抱住妹妹，只是已热泪滂沱。啊！就在这时，听到了！低沉微弱，不过千真万确，口哨吹奏的是《军舰进行曲》。妹妹也侧耳谛听。嗯，一看手表，正是六点整。因为一种难以言状的恐惧，我们姐妹俩紧紧地抱在一起纹丝不动，侧耳聆听从院中叶樱深处传来的诡异的《军舰进行曲》。

神明，在，一定在，我相信这一点。妹妹在此后第三天故去，医师很感诧异，因为妹妹的咽气过于娴静而快速。然而，当时我没有吃惊。我相信一切都是神明的意旨。

如今——上了年纪，产生了诸多物欲，很感羞耻。是不是信仰之类也变得有点淡漠下去了？有时我总是怀疑那口哨或许是父亲的杰作，父亲从学校下班回到家里，在隔壁房间偷听到我们姐妹俩的谈话，可怜苦命的小女，那莫不是严厉的父亲一生一世唯一的一次弄虚作假啊？虽然如此，但又不大可能有那种事吧？倘若父亲在世还可以询问，可父亲已作古前后有十五个春秋啦！不，可能还是神明的恩赐吧？

我试图这样相信而令自己安心，但我总觉得人一上年纪，生起物欲之心，信仰淡薄下去，这是不行的。

《若草》，昭和十四年（1939）六月号

美少女

自从今年一月在山梨县甲府市[1]郊租了个小房子，一点点进行着自己粗劣的工作早已过去半年了。一进入六月，盆地特有的酷暑燥热步步逼近，在北方长大的我，对宛若从地心涌出、毫不留情的高温吃惊非小。当我默默地坐到小桌前时，突然感到鸦雀无声，整个世界都变得一团漆黑，这确乎是眩晕的症候。因酷热而晕过去的事，对我来说有生以来还是第一次。妻子则因满身的痱子很苦恼，听说离甲府市极近处有个名叫汤村的温泉部落，那里的温泉水对皮肤病有特效，我便让妻子每天往返于家和汤村之间。我们的草房租金是六日元五角钱，位于甲府市西北端的桑林园中，从那里走到汤村的话二十分钟左右（要是从步兵四十九联队[2]的操场径直横穿过去就更快，也许十五分钟就能到达）。妻子每天早饭后一收拾停当，便拿着

1 日本山梨县县厅所在地，古称甲州，源自战国时代武将武田信玄（1521—1573）割据的“甲斐国”。

2 原文作「連隊」，相当于“团”。旧日军编制各级大致对应情况分别为「分隊」（班）、「小隊」（排）、「中隊」（连）、「大隊」（营）、「連隊」（团）、「旅団」（旅）、「師団」（师）、「軍」（集团军）、「方面軍」（方面军）等等。

泡温泉用品去往汤村，洗完后当天返回。据妻子说，那个汤村的公共浴场很悠闲自在，浴客也都是农村的老爷爷老奶奶们，尽管说是对皮肤病有特效，但也没见一个人像有皮肤病，我妻子的身体倒是属于最脏水平的了。还说浴室里镶着瓷砖，很干净，虽然水不够热是个缺点，但大家都蹲着把身体泡在温水里唠着家常，时间长达半小时或一小时。总之，是另一个世界，所以让我也去一次。妻子还说，清晨蹚过操场的草丛，新鲜的青草如茵馨香扑鼻，朝露打湿了脚凉丝丝的，心情豁然开朗，甚至会不由自主地独自笑起来。我呢，正以酷暑为借口在消极怠工，处于百无聊赖之际，因此，一拍即合马上决定去一下。早晨八点左右，我让妻子带路出发了。倒也没有什么不得了的，即便拨开操场上的草走着，也没有要独自笑起来的感觉。温泉村大众浴场的前院，有一棵相当大的石榴树，火红的石榴花正在怒放。甲府石榴树很多。

浴场，好像就在不久前才刚刚建起的，没有污垢，铺着白色瓷砖，显得亮堂堂的，采光很好，给人以清爽的感觉。热水池比较小，大约有三坪左右。浴客有五位。我将身体滑进浴池，惊讶于水温之低，感觉和普通冷水没什么差别。我蹲下身，将身体泡进浴池，让水没到下巴，身体一点都不能动，因为太冷了。肩膀稍微冒出水面就感到冷嗖嗖的，必须像死了一样默默地蹲着。我心里很没底，感觉做了件荒唐事。妻子呢，倒是沉稳地蹲着一动不动，闭着眼睛一副悟道般的表情。

“太过分了，连身子都不能动。”我小声地发着牢骚。

“可是，”妻子满不在乎地说，“这样蹲半小时，就会汗流浃背的，渐渐地就有效果啦！”

“是吗？”我不抱希望了。

但是，我又没办法像妻子那样大彻大悟地闭上眼睛，就抱膝蹲着，东张西望地向周围环视。池中浴客有两家人，一家是六十岁光景的白发老爷子和一个五十岁光景、有些文雅的老太婆。是一对有品位的老夫妇，可能是这个乡间的土财主吧？白发老爷子高鼻梁，右手戴着金戒指，说不定从前是个玩票的男人，他身上微红，胖乎乎的；老太婆也是，其气质风度令人想到或许是个很气派地抽香烟的女人。但问题不在老夫妇而在于别处。浴池一角和我成对角线的位置处，有三个人紧挨着蹲在一起。七十岁光景的老头，满身黝黑地缩成一团，脸也皱皱巴巴缩得很小，十分奇怪；老太婆看样子年龄也差不多，身材瘦小，黄皮肤，胸脯像百叶门一样凸凹不平的，她的乳房令人联想到瘪了的茶叶口袋，招人怜悯。感觉老两口都不太像人类，反倒像窝在洞穴中贼眉鼠眼的貉子。两人中间的可能是孙女吧？似乎被爷爷奶奶守护着一样静悄悄地蹲着。因为画面太有意思了，那是附着在肮脏的贝壳上被乌黑贝壳保护着的一颗珍珠。我呢，因为不会侧眼看东西，所以，便从正面直勾勾地看着那人。约有十六七岁吧？或许十八岁了也说不定。全身有点泛青但绝不柔弱，紧绷绷的大块头身体使人联想到没熟的青桃子。志贺直哉的随笔里写道，女人身体发育到可以出嫁时最美，当我读到其内容时打了个冷战，感到志贺氏真敢写。然而，当我现在目不转睛地盯看眼前美少女的裸体时，我就觉得志贺氏的那种话毫不下流，就是作为一个纯粹的观赏对象来说，也很精辟，近乎高雅。少女绷着脸，单眼皮的三白眼[1]，而且还吊眼梢。鼻子很普通，嘴唇稍厚，一笑起来上唇便紧紧上翘，给人一种野性的感觉。头发扎在脑后，看样子属于毛发偏稀的类型。被两个老人夹在中间，似乎很天真地蹲着，对我这种长时间的直视毫不介意。老夫妇俨然触摸什么宝贝一样给她抚摸后背，咚咚地敲敲肩膀。该少女似乎是病后初愈，但绝不瘦弱，皮肤清洁而富有弹性，宛若女王一般。她将身体由着老夫妇打理，时而独自微笑一下，我甚至觉得她有点傻乎乎的。当她嗖地站起身来的时候，我不由得目瞪口呆，感到有点透不过气来。那是个身材高大，给人感觉身高似有五尺二寸，出落得很像样的少女，十分标致。有咖啡杯大的丰满乳房，带有圆滑曲线的腹部，敦实的四肢，毫不羞耻地摇摆着两手从我眼前走过，那一双可爱的白皙小手近乎透明。身体还浸在浴池中就伸出胳膊拧开水龙头，用备置在那里的铝杯喝了好几杯冷水。

“哦！多喝点！”老太婆张开皱皱巴巴的嘴笑着说，似乎在

1　三白眼：指瞳仁很靠上或者很靠下，看上去三面的眼白很多，故称为“三白眼”。瞳仁靠上比较严重的称为“下三白”，很靠下的称为“上三白”。据“相学”的观点，认为三白眼的人对人比较冷漠，而在日本，也认为三白眼为“凶相”。

从后面给少女加油。

“不使劲喝，就康复不了！”

“对呀！对呀！”

这时，另一对老夫妇也随声附和，大家都笑起来，戴金戒指的老爷子冷不防一转身朝我命令似的说道：

“你也应该喝！对衰弱最有效果啦！”我一时间不知所措了。肯定是我的胸部很瘦弱，显露一根根肋骨，十分难看，也被看成病后初愈的人了。老爷子的命令让我张皇失措，但置之不理又觉得失礼，所以我就姑且先带上微笑的表情，然后站起身来，一下子冷得我打了个寒战。少女默默地将铝杯递给我。

“呀！谢谢！”我小声表示感谢，接过铝杯，学着少女的样子身在浴池中伸出胳膊拧开龙头，连什么意思也不懂就咕咚咕咚地喝起来。有点咸，可能是矿泉水吧？我又喝不了太多，勉强喝了三杯，然后苦着脸将铝杯放回原处，马上又蹲下身，将肩膀缩进水里。

“感觉很好吧？”金戒指老爷子扬扬得意地问道。我实在为难，不过还是皱着眉头答道：

“好。”微微鞠了一躬。

妻子低下头偷偷地笑了。我哪里谈得到什么“好”，内心反感到战战兢兢。不幸的是，依我的脾性无论如何也无法和别人轻松地聊天，所以我很害怕，担心如果这位老爷子马上就要向我搭什么话，我可怎么办呢，就觉得越来越荒唐了，只想早点逃掉。我向少女那边扫了一眼，只见她和刚才一样悄然沉稳地蹲在老夫妇中间被严密地保护着，仰着脸毫无表情，根本没拿我当回事。我死心了。趁着金戒指老爷子还没向我搭话，我站起身来，低声对妻子私语：

“走吧！一点也不热乎。”然后麻利地出了浴池擦拭身体。

“我，要再洗一会儿。”妻子还打算在那坚持。

“这样啊！那我先回去啦！”说着，在脱衣处匆匆忙忙地穿上衣服的时候，浴池那边却开始了和谐的聊天。看样子，我摆架子不开口，两眼东张西望有点与众不同，让老人们感到拘束了，所以，我一走，大家全从拘束中被解放出来，都松了一口气，聊天便顺利地开展起来。就连我妻子也加入其中，开始讲解痱子等问题。我呢，实在是不行，不能与人们为伍。独自怀有偏见，认为反正我是个异类，临走时再次望了一眼。少女仍旧被两位皮肤黝黑的老人守在中间一动不动，宛如宝物一般发出绚烂的光芒。

那位少女真好，我目睹到了尤物——我悄然将这个秘密藏进心中的保密箱里。

七月，酷暑达到了顶点。榻榻米热得滚烫，使人不能坐卧，差点就想到山中温泉去避暑了，但考虑到八月份我们就要搬到东京近郊去了，为此要留点钱，故而，无论如何也筹措不到去温泉的余钱。我都要疯掉了，就想，要是狠心把头发剪短，说不定脑袋也能凉快点，人也会清爽一些，就跑到理发店去了。信步游逛，心想不管哪家只要有空位，哪怕稍微脏点的理发店也无妨。但看了两三家都是人满为患。小巷里的公共浴池对面有一家小理发店，往里一看也是有顾客的样子，正要折回，店主从窗户伸出头来说道：

“马上就得，您理发是吧？”精准地猜中了我的意图。

我苦笑着推开那家理发店的门进到屋里。我自己虽然没有察觉，但在旁人看来，我恐怕蓬头垢面相当难看，所以，店主才一眼就看穿了我的意图，一定是这样的——我这样一想确实感到羞愧。

店主是个四十岁光景的光头汉子，戴着赛璐珞镶边的眼镜，噘着嘴唇，面孔有些滑稽。有个十七八岁的徒弟，脸色铁青，瘦骨嶙峋的。理发室旁边隔着一张薄薄的帘子，帘子那边有个西式的客厅，从那里传过来两三个人的谈话声。原来我把那些人误当成理发顾客了。

我往椅子上一坐，电风扇从衣襟下送过来凉爽的风，我如释重负地松了口气。盆栽、金鱼缸等都摆得很是地方，是一家精致而小巧玲珑的理发店。我想到，酷暑时来理发店是最好不过了。

“请把后面剪得短短的！”不爱吭声的我说出这些已经费了最大的劲。说完往镜子里一看，我的神色异常紧张，嘴角紧紧地绷着，显得装模作样煞有介事的样子。一定是不幸的宿命。就连到理发店也要装模作样么——我自己都感到自己很没出息。再凝视一下镜子里，倒一眼看到了镜子里深处有朵花，原来那是一位穿着蓝色家常便服，坐在紧靠窗边椅子上的少女的身姿。我是到那时才知道原来那里坐着少女。不过，我没太介意，只是脑中闪了一下：是女徒弟？还是女儿？并没有更多地注意看。过了一会儿，我发现少女不时地从我背后伸长脖子，打量我镜中的脸，有两三次我俩的视线在镜中相碰。我强忍着不回头看，但还是感觉少女的脸似乎在哪里见过。在我注意背后少女的脸时，少女一副似乎很满足的样子，然后就根本不再向我这边看，而是自信满满地将胳膊肘支在窗台上望着大街。人说猫和女人，你不吭声可以招呼其名字，但你走近了它（她）就逃走。看来这个少女也早就无意识地领会了这个特点。我正生气地这样想的时候，少女却从旁边的桌子上忧郁地拿起牛奶瓶，就那么直接拿着瓶子静静地把牛奶喝光了。我突然察觉，原来她是病体。是她！就是那位长着漂亮胴体的病后初愈的少女！啊！我知道了，因为那牛奶我才总算知道了。我很想对少女道歉：比起她的脸蛋我更认识她的乳房，失礼啦！现在虽然包裹着蓝色的家常便服，但我对该少女的漂亮的青春胴体了解得细致入微。想到这我很高兴，甚至油然觉得少女是自己的骨肉亲人。

我不禁在镜中给了少女一个笑脸，少女却一点也没笑，而是唰地站起身来，慢慢地走到帘子那边的客厅里去了，而且毫无任何表情。我再次傻了。不过我很满意，我觉得我有了一位可爱的熟人。可能是那少女的父亲——店主——给我唰唰地理了发，很凉爽，我感到十分愉快，这是个仅此而已的不太道德的故事。

《月刊文章》，昭和十四年（1939）十月号

译后记

译林出版社本次隆重推出“太宰治精选集”，旨在有利读者进一步深入了解《斜阳》《人间失格》之前的太宰文学，以更全面地理解和感悟太宰治其人其作的丰富内涵。

要全面了解太宰文学，系统地阅读一些各时期具有代表性的作品可谓捷径。太宰治短短三十九年生涯、短短十六年的正式文学创作生涯中，其心态呈现一个明显的驼峰型，从早期的萎靡颓废、了无生趣，到生活渐趋稳定并进而迸发出旺盛的创作热情，连篇累牍地写出与前后期迥异的明快佳作，再到生命晚期沉迷酒色、放浪形骸、万念俱灰，写出极度绝望的《人间失格》和《Goodbye》（未完稿）后，与战争遗孀山崎富荣一起投水身亡。他心态呈现的驼峰时段，约在1939年到1944年、亦即三十岁到三十五岁之间。太宰不同于任何一位日本作家，他的处女作短篇集的书名叫作《晚年》，表明了其带有的遗书性质。众所周知，太宰治一生中先后经历了五次自杀，分别是 在1929年12月、1930年11月、1935年3月、1937年3月和1948年6月。不过，我们研究太宰文学，固然一般将其分为早、中、晚三个时期，其实各个时期之间并没有一条明显的鸿沟，颓废、绝望的作品与明快的作品中间也没有一条明显的界线。可见太宰一边写作一边在疏离人世和亲近人世之间、在生死之间挣扎，他的写作为的是在死去之前给后世留下一点有用的东西。他在1933年左右创作《追忆》时曾写道：**“反正迟早要死的，想写下一点东西告诉人们还曾有过这样一个男人，人们读了它说不定会有被救赎的心情。”**[1]

《追忆》《小丑之花》《他已非昔日之他》三篇小说选自太宰治的处女作《晚年》，分量约占全书的七成。其余五个短篇则是选自过渡期作品集《新树的话》。这样，不仅增加了本册书的可读性和通俗性，也让读者在读到中期作品《奔跑吧，梅勒斯》那样开朗、明快、乐观、向上的作品时不感到突兀。既能了解到作家曾经在颓废和憧憬美好生活之间是如何纠结、挣扎，也能更为清晰地感知作家在创作高潮之前和创作过程之间思想的反复，以及逐步向明快转变的心路历程。

下面简单介绍一下本册所选各篇的梗概和主题。《追忆》（1933）是作者自1931年参加左翼地下斗争两年多之后，绝望之余到青森警察署自首，被拘月余期间创作的，写的是作者幼、少年时代的生活，带有明显的自传小说性质，是《晚年》

1　奥野健男：《太宰治：人与文学》，载太宰治《斜阳》，新潮社，1968，第187页。

中最重要的作品之一。正因为作家打算以《晚年》作为遗书留给后世，所以也可以说是太宰的自画像，用作者的话说是“毫无掩饰地写出自幼开始的恶”“写出惊人又如此污秽的孩子的告白”[1]。然而，我们作为读者并没有看到多少书中的“恶”，反而感到这是一篇极为感伤、极为自虐的少年期文学。我们从书中可以读到主人公（也可说是太宰本人）作为大家庭中非长子的自卑而又必须要优于他人的精英意识，他对父母等家人亲友的疏离感、自我封闭的思想源头，而这也是理解太宰其人其作不可或缺的要素。尤其重要的是，我们看看下列原文：

每当此时，我又会思虑起自己以往和未来的走向。（中略）我对一切都不能彻底满意，所以总是在徒劳地挣扎。因我脸上贴着十层二十层假面具，对哪件事如何悲伤法我是分辨不清的。而到头来，我便找到了某种宣泄的出口，那就是创作。（中略）我私下期望着："成为作家吧！""成为作家吧！"（太宰治《追忆》）

也就是说，从那时开始他就基本确定了自己的文学道路。另外，从作品中“我”对初恋对象——女仆美代的纤细神经和微妙心理，以及与弟弟畅谈红线和男女缘分的描写来看，此篇又可称为充满抒情情怀的青春文学。

《他已非昔日之他》（1934.10）表现了那个时代某些青年的滑稽、无赖和悲哀。作品写的是一个好吃懒做、混吃混喝、

1 太宰治：《东京八景》，载《奔跑吧，梅勒斯》，新潮社，1986。

眼高手低、整天无所事事、明目张胆赖房租的青年青扇，他没有自我，不断变换角色来骗取别人的信任，凭自己如簧巧舌，欺骗女人和房东，过着得过且过、漫无目标的生活。实际上青扇影射了虚无、呆傻时代的作者自己。作品刻画了“我”一开始对青扇的迷信、期待，一直到彻底看破其“懒到骨髓”的庸人本质，最后竟惊人地发现自己和这个青扇简直毫无二致的故事。实际上，青扇正是作者的一面镜子，从青扇身上，“我”看清了自己身上的污泥浊水。

《小丑之花》(1935.5)是《晚年》一书的中心作品，描写的是参加地下工作疲于奔命、身心俱损的大庭叶藏与偶然相识的酒吧女招待阿园（实际上太宰治第二次自杀是1930年11月，其殉情对象是酒吧女招待，她的真实姓名是田部西妹子。）在江之岛投海殉情，女性身死，而自己却被渔船搭救送进疗养院，在那里度过了四天的疗养生活。《小丑之花》是《人间失格》的“雏形”和“创作原型”。不过，虽然两篇小说的主人公都叫大庭叶藏，但二者性格、心态并不一样，比起《人间失格》里极端自卑、怯懦和颓废的叶藏，《小丑之花》里的叶藏固然有颓废的一面，但也不乏年轻、气傲、开朗和冲动。在“道化”（搞笑或假笑）问题上，二者虽有共同之处，但也有不太相同的含义。《人间失格》里叶藏的“道化”主要指以“搞笑”取悦别人，掩盖自己的真实心态；而《小丑之花》里叶藏的“道化”，则主要指用若无其事的谈笑风生来掩饰自己内心的犯罪意识。

本作原名叫《海》，但被作者撕毁，换了一种形式重写。尽管如此，书中叶藏的目光和内心几乎从没离开过大海，我们可以从书中文字找到多个佐证——

大庭叶藏坐在床上，望着大海。

三人一起去了食堂后，叶藏起了床，就转而眺望烟雨朦胧的海面了。

昨天的新患者规整地穿着藏青地碎白花纹的夹衣，坐在藤椅上眺望着大海。

叶藏以手托腮，用下颚指了指玻璃窗外的景色："画了大海。"

叶藏往海里抛了个石块。"就能松口气啊！现在跳进去的话，就已经什么都不是问题了。"

特别是陪床护士真野邀请叶藏爬上山顶，为的是让叶藏看到富士山，以增强他新生的勇气，但可惜天公不作美，因为阴云根本看不到富士山，令真野失望至极，而叶藏却说："不，可以了。"可见二人心事迥异。

小说末尾再次提到叶藏看大海："叶藏遥遥俯瞰着大海，脚下就是高达三十丈的断崖，江之岛在正下方显得很渺小。在浓重的晨雾最深处，海水在缓缓地波动。"说明叶藏心里从没有忘记大海——他在那里害死了阿园，他心里一直不曾忘记自己这个罪恶，也难怪这篇的原名叫作《海》了。

《小丑之花》是一篇比较难解的作品，表面上全篇并没直接涉及叶藏害死一个人的负疚和谢罪，以至于没能深入解读该作品的读者不免要对作者和叶藏有埋怨情绪，觉得害死一条人命他们还这样嘻嘻哈哈、若无其事而感到愤愤不平。日本著名作家佐藤春夫（1892—1964）曾在读完这篇小说后给文学评论家山岸外史（1904—1977）写了一封信："'不说一句真话，但听话良久即有意外所得，在他们装模作样的语言里不时能感到诚恳的语气，令你吃惊'，我认为这构成本篇基调的一段话可原封不动地作为本篇的评语。我为发出可怜而真实的微弱荧光而喜悦。因为，恐怕真实只能以这种形式来叙说啊！"[1]佐藤春夫所说的，应该是解读《小丑之花》的钥匙，这里的"荧光"当是指曾被叫作"萤火虫"的真野，而真野是四人中唯一非"道化"的人物。

叶藏和两个朋友飞弹、小菅虽然表面上谈笑风生，实际上却都戴着"道化"的面具，他们的"道化"实际上是对自己脆弱内心的一种掩饰，特别是叶藏，实际上是含而不露地试图披露自己的羞耻和犯罪意识的内心真实。书中两个朋友问叶藏和那酒吧女招待殉情的原因时，叶藏虽然说"其实，我也不明白呀！感觉什么都是原因。"其实他内心五味杂陈，"虚伪、倨傲、懒惰、阿谀、狡诈、缺德之渊薮、疲劳、愤怒、杀意、自私自利、脆弱、欺瞒、病毒"让他无法概括。试想，这么多无法解决的心事在脑中萦绕，他们的逗笑哪里又可能是发自内心呢？

---

1 宫崎三世：《太宰治〈小丑之花〉论二——关于佐藤春夫评"真实的萤光"》，历史文化社会论讲座纪要，日本京都，2009，第1—12页。

惟其如此，他们才小心翼翼，唯恐哪怕有一丝一毫的风吹坏了他们那“极其脆弱”的“小丑之花”。实际上，叶藏表面上越是表现得若无其事，其内心对死了的阿园的负疚心理就越是深重。

该作另一个出彩之处是写作技法的创新。叶藏本来已是作者的化身，而作者还嫌不够，自己竟然“赤膊上阵”，直接在作品中登场。一方面从客观上描述叶藏的表面与内心，另一方面又以作者的身份对自己作品进行解说、批判、自我贬损与否定，这种主客观同时登场的现实主义手法，可谓标新立异，无疑加强了作品的艺术魅力。

其余五篇全部选自《新树的话》，约占全书的三成，除《花烛》稍长一点外，其他都是短小精悍的作品。有学者将这部分作品称为“更生小说”，即反映太宰治过渡时期洗心革面的文学作品。

《I can speak》(1939.2)鲜明地表现了挣扎在“痛苦是忍气吞声的夜晚，是让人心死的清晨”中的“我”搬到甲州后的一次感铭。这一时期正是主人公从颓废中振作起来，为在文学道路上确立信心、重整旗鼓而努力写作、试图新生的时期。不过，逃离了严寒的“我”仍然态度游移不定，身心疲惫，工作进展缓慢，偶然之中听到附近工厂里传出少女优美的歌声和少女姐弟俩隔着高墙夹杂英语的对话，使他受到强烈的震撼，激发了他的创作激情和对新生的强烈憧憬。

《秋风记》(1939.5)中的颓废色彩还是相当浓厚的。“我”

爱着一位比自己年长两岁（32岁）、已婚并有个三岁女孩的女性K，从二人对话来看，K可能不时对“我”有经济资助。这天，“我”表示“不想活了”，提出要和K一起出去旅行。于是二人乘火车到了外地的温泉旅馆。途中通过交流探讨人生，彼此加深了相互间的了解和谅解。不幸的是，两人在散步途中遭遇车祸，K拼命用自己的身体来保护“我”而受伤入院，但和死神的擦肩而过反而更新了二人对生死的看法，不仅丢弃了想死的念头，而且从互相抱团取暖决计轻生到回归正轨。请看旅途中“我”对二人的重新认识：**“K，你记住好了，K，是个贤妻良母；还有，我是个不良少年，渣男！”**最后，K出院被家人接走，而“我”则自己坐火车回家。即“我”通过自我反思抛弃了想死的念头；而K，则作为贤妻良母回归家庭。标题之所以叫“秋风记”，表示绝望中的不伦之爱固然凄美，但凛冽、萧杀的秋风是要伤人的。本作品的写作时间正是太宰经历了四次自杀未遂后试图东山再起之时，从“我”与K的谈话中可以明白，他厌倦了不劳而获的生活，向往自食其力，哪怕当个鱼贩子来度过一生也好。据评论家奥野健男分析，K的原型或许是短篇《二十世纪旗手》中的菅野アキ，抑或是《雌性谈》中的女性，是太宰源于对母亲、姐姐的憧憬而创作出的理想女性。[1]这篇小说的卷首诗引用了著名诗人生田长江（1882—

---

1 奥野健男：《解说》，载太宰治《新树的话》，新潮社，2018年。

1936）的一首三行诗，译者试译为："久久伫立思从前，皆似物语般，明月西斜照我肩。"这首诗表现了再苦再累的事，一经过去就宛若故事一般，成为甜蜜的回忆；人，应该努力向前看。这篇"更生小说"在太宰文学中占有特殊的地位。

《花烛》（1939.5）写的是一个家境优渥的青年（被人送了个绰号"男爵"，实际上，有相当一部分是太宰治本身的投影。）因在家乡不务正业，干了几件坏事几乎被开除家籍。他混迹在外，以奴隶般的献身精神服务于一帮混吃混喝、整天高谈阔论的懒汉，试图以此来自我救赎。后他偶遇原在他家做女仆，而今成了著名影星的阿富，并且被阿富拜托去说服其弟。不情愿地到阿富的豪华别墅做客的"男爵"丢不掉贵族意识，一方面认为帮原来的女仆办事对他是一种侮辱；另一方面反被阿富弟弟的话所震撼，深受教育，不得不反思自己豢养一帮懒惰者毫无意义，根本不能救赎自己。于是，他决定从此闭门谢客，洗心革面，以期东山再起。值得一提的是，作品中阿富话里话外不掩盖对"男爵"的爱慕，说拜托"男爵"来商量终身大事，实际上她是在委婉地向"男爵"求爱，和弟弟唱了一出双簧。评论家奥野健男写道："看到太宰这篇《花烛》的主人公'男爵'（中略）这个废人汉子被他昔日的女佣爱上——这种结尾固然甜蜜，倒也洋溢着暖人心房的欢乐氛围。"另外，还有两处可以印证以上观点，一是阿富弟弟在"男爵"走后说的"十年之恋，终得报偿"，表明阿富已苦苦暗恋"男爵"十年；再从作品开头也能看出问题："婚礼的深夜，新郎新妇正在畅谈未来，屋子里隔扇外却响起了飒飒的声音。（中略）看到了动静的源头，两人相互对视，然后会心地笑了。这对夫妇有着如此有趣的回忆，一定会永结百年之好了吧，肯定会营造出一个温馨的家。我现在将要讲一对男女的来龙去脉，我衷心祈祷这对男女也能得到如此温馨的初夜。”这里所说的“一对男女”显然是指“男爵”和阿富。作者之所以将标题命名为“花烛”，是因为小说开头以一对洞房花烛的新欢夫妇做引子，期望从前的女仆、现在的明星也能与从前的主人、受震撼决心脱胎换骨的青年享受洞房花烛之欢。

《叶樱与魔笛》（1939.6）是一篇最具特色的佳作，也是很多太宰文学爱好者特别喜爱的作品。该作通过一位中年女性的回忆，娓娓动听地讲述了一个姐妹情深、父爱如山的故事。情节跌宕起伏、扣人心弦，特别是十八岁即因肾结核早夭的美丽妹妹的悲惨命运令人唏嘘。该作虽然在国内译本极少，评论更是寥若星辰，但日本国内评论众多，而且对作品的解读也更为多元化。本作品的有趣之处在于作者留下了一个谜，那就是魔笛究竟是何人（或神）吹奏？对此可谓众说纷纭。有学者提出M·T确有其人，而且写信对断了音信加以解释并致以歉意，吹奏口哨者就是M·T本人，故而，妹妹才能以进行过一场恋爱的女人身份，安详而无牵挂地去了另一个世界；也有学者认为，口哨声根本就不存在，是姐姐心理上的“幻听”，将其安到神的名下。然而，根据大多数读者的判断，口哨应该是一向不问世事、思想守旧的老学究父亲的“杰作”，是老先生一生中唯一一次弄虚作假，为的是给可怜的爱女以慰藉，印证了父爱如山的人生哲理。国内一些学者根据书中文字认为太宰在绝望之余转向了宗教信仰，魔笛是神明所为。本书译者以为，太宰在思想上固然和基督教有着千丝万缕的联系，但这篇作品并非在有意宣扬有神论，而是在强调骨肉亲情。因为这一时期的作者正通过努力感受庶民家庭成员间真挚的爱来逐步改变疏离社会的自己，并渐渐从颓废走向明朗。因此，译者也认为魔笛的吹奏者是父亲。前述评论家奥野健男在《新树的话》一书的解说中写道：“《叶樱与魔笛》（中略）是豆蔻年华因结核病即要早夭的时代物语，将虚构的姐姐、妹妹、老父之间令人窒息般的爱，表现在一位中年女性沉稳的回忆叙述里，虚构中倒显得情真意切。”这段话也暗示了该评论家认为魔笛吹奏者并非别人，就是父亲。虽然也是一家之言，但毕竟带有权威性。

《美少女》（1939.10）是一篇特别短小的叙事性小说，内容涉及日本的男女混浴文化。与《叶樱与魔笛》一样，这也是一篇过渡期作品，讲述“我”对乡下温泉中美丽少女的青春胴体的详细观察，以及其后在理发小店又与少女巧遇，尽管少女没有表现出什么热情，但“我”却觉得“有了一位可爱的熟人。可能是那少女的父亲——店主——给我唰唰地理了发，很凉爽，我感到十分愉快”的故事。表现了作者试图摆脱颓废、融入庶民生活的愿望，是一篇成功的“更生小说”。

太宰文学，二十世纪九十年代在我国国内尚极少有人问津，改革开放仅过了二十几年，便渐渐被国人，特别是青年读者接受乃至喜欢。据说，目前《人间失格》的中译本已达六十多种，不仅远超夏目漱石、森鸥外等日本传统大文豪，而且也远超诺奖得主川端康成和大江健三郎。作为一名教学、翻译、研究日本文学的学者，在感到震惊的同时，也为国人，特别是青年读者理解日本文学而感到兴奋。太宰文学乃是个小小的文学宝库，尚有很多作品没有译介过来，有的虽然译介过来了，但这方面的解说和研究文章尚为数寥寥，和译作数量根本不成比例。不过译者相信，随着时间的过去和阅读的深化，这样的文章或许会慢慢多起来的。

本次被邀翻译“太宰治精选集”的第一册深感荣幸，但毕竟是太宰治的早期作品，个别涉及历史的内容难免艰深费解；而已出版的太宰早期作品译本极少，脚注也过于简单，难免影响读者对作品的深入理解。我们在翻译过程中也碰到几个查不到或拿不准的地方，日本学者三室勇先生不厌其烦地给予了大力协助，在此深表谢忱。尽管如此，我们毕竟水平有限，仍不敢保证本书译文中全无问题，敬请前辈、同仁以及所有老中青读者，特别是懂日语的读者予以指正。

王述坤